脱炭素時代を生き抜くための
「エネルギー」入門
A Primer of Energy for Living in the Decarbonizing World
齋藤勝裕
素晴らしき
サイエンス
ENERGY

JN090702

実務教育出版

現代社会は「エネルギー」のおかげで成り立っている

本書は「**エネルギー**」について、ご説明しようという本ですが、「そもそも、エネルギーとは何?」と聞かれて、ただちに答えられる人は少ないでしょう。「エネルギー」とはよく耳にするだけに、わかりきっているような言葉です。しかし、あらためて何のことか聞かれると返答に困ってしまいます。

「**光エネルギー**」という言葉を聞いたことがあるでしょう。しかし、「光」は見たことはあっても、「光エネルギー」というエネルギーそのものを、これまで見たことはないはずです。「**熱エネルギー**」はどうでしょうか。これも「熱」を感じたことは誰しもありますが、そのエネルギーがどんなものかを感じたことのある人はいないでしょう。

では、あらためてお聞きします。エネルギーとは何なのでしょうか?

エネルギーとは、熱や光の「**もとになる力**」のことです。熱や光とは、エネルギーが変貌したものです。熱や光がなければ、植物や動物は生活することができず、機械も仕事をすることができません。エネルギーはつまり「**仕事のもと**」なのです。

動物は食物を食べなければ動くことはもちろん、生きることもできません。それと同じで、すべての機械・道具はエネルギーがなければ作動しません。動物は食べた食物を消化・分解して、酸化し、最終的には「二酸化炭素、水、熱」に変えます。

熱は熱エネルギーとも呼ばれるように、これもエネルギーの一種です。動物はこれを食物の酸化という化学反応によってエネルギーを発生させています。化学反応によって発生するエネルギーは、一般に反応エネルギーといいます。熱エネルギーも反応エネルギーの一種です。熱エネルギーで発電機を回すと、**電気エネルギー**が発生します。つまり、熱エネルギーと電気エネルギーとは、形態、使い勝手こそ違いますが、同じエネルギーの仲間なのです。

現代社会は「電気エネルギー」で生きている

そのように考えれば、風力発電を起こす風も、水力発電のもとになる水の**位置エネルギー**も、すべては同じエネルギーの変形であることがわかります。現代社会はその多くを電気エネルギーで動かしています。しかし、自動車の多くは内燃機関の爆発による熱エネルギーで動き、ヨットは風力で動き、巨大船舶は水の浮力で浮いています。

つまり、現代社会はすべて「何らかの力」——エネルギーを使うことによって成り立っているのです。これは現代社会に限ったことではありません。昔の社会だって、エネルギーを使って成り立っていました。ただ、帆船(はんせん)の風、水車の水、馬車の馬など、自然界にむき出しの形で存在するエネルギーを使っていたため、具体的に見ることができました。

しかし現代社会では、そのエネルギーの多くを電気エネルギーに変形して使っているところが違います。その意味でいうと、「現代社会は電気エネルギーの上に成り立っている」といっても過言ではないでしょう。

蛍光灯も携帯電話もパソコンも、炊飯器も鉛筆削り機までも、電気がないとまったく動きません。こんなにも電気に頼りっきりになっていて、ホントに大丈夫なのかな、と少し心配になるほどです。

電気は便利なので、社会はますます電気社会への変化を加速していきます。しかし、電気エネルギーが自然界にそのままの形で存在することなど、ほとんどありません。雷が電気エネルギーだといっても、その雷様を直接利用するのは大変です。

電気エネルギーは「熱、光、風、水」などの持つエネルギーを「電気」に変形しなければ使えません。電気エネルギーに変換するのに最も便利なのが熱エネルギーであり、そのための燃料として手っ取り早く大量に入手できるのが、石炭、石油、天然ガスなどの**化石燃料**です。

その結果、化石燃料の資源量は限りが見えるようになり、最近ではこれまで手をつけていなかった、地下の大深度、あるいは海底に存在するシェールガスやメタンハイドレート等の新しい化石燃料にまで手を出すようになってきました。それでも足りず、原子力、それもこれまでの核分裂だけでなく、核融合のエネルギーまで視野に入れるようになってきました。まさしく現代は、エネルギーの上でエネルギーを求めて活動しているように見えます。はたして、これでよいのでしょうか？

近年では、「省エネ」が声高に叫ばれるようになってきました。物は使ったら捨てる、捨てたら次の物を探すという、以前のような「使い捨て」の社会は成り立たなくなっているのかもしれません。大切なエネルギーを大切に使う、そのような姿勢が必要なのではないでしょうか。

SDGsとエネルギーの持続的発展の可能性

最近、**SDGs**（「エス・ディー・ジーズ」と読みます）という言葉をよくニュースで目にするようになりました。このSDGsとは、何のことでしょう？

SDGsは、Sustainable Development Goals、つまり「**持続可能な開発目標**」の略です。ゴール目標がたくさんあるためにGoalsであり、SDGsの最後の「s」はこの複数形の「s」に対応しています。そのため、読む時も「エス・ディー・ジー・エス」とは読みません。最後の「s」が複数形であることを意識して、「エス・ディー・ジーズ」と読むことになっています。

SDGsは、2000年に国連のサミットで採択された「MDGs（エムディージーズ／ミレニアム開発目標）」が2015年に達成期限を迎えたことを受けて、それに代わる新たな世界の目標として2015年に定められました。

SDGsはその名前の通り、ゴール（目標）を表わすものであり、17個のグローバル目標と、それぞれのグローバル目標に10個ずつほどのターゲット（達成基準）を組み合わせた、全169項目の目標からなる、いわば全世界的な「努力目標」の集大成のようなものです。

この理念そのものは、すでに1980年に国際自然保護連合（IUCN）、国際連合環境計画（UNEP）などがとりまとめた「世界保全戦略」に提出されたものです。要するに、『将来につけを回すことなく、現代を潤す』ということです。そして2015年の国連総会において、向こう15年間の新たな開発の指針「持続可能な開発のための2030アジェンダ（課題）」として、先ほど述べた169のターゲットが採択されました。

このようにしてまとめられた「17の目標と169のターゲット」は、複雑な社会的、経済的、環境的課題を幅広くカバーしています。具体的にどんなものか、ピックアップしておきましょう。

①貧困をなくす……「あらゆる場所のあらゆる形態の貧困を終わらせる」
②飢餓をゼロに……「持続可能な農業を促進する」
③人々に保健と福祉を……「すべての人々の健康的な生活を確保し、福祉を推進する」
④質の高い教育をみんなに……「公正な質の高い教育を提供する」
⑤ジェンダー平等を実現しよう……「女性、および女児の能力強化を行なう」
⑥安全な水とトイレを世界中に……「水と衛生の管理を確保する」
⑦**エネルギーをみんなに、そしてクリーンに**……「安価かつ信頼できる持続可能な近代的エネルギーへのアクセスを確保する」
⑧働きがいも経済成長も……「人間らしい雇用を促進する」
⑨産業と技術革新の基盤をつくろう……「持続可能な産業化を促進する」
⑩人や国の不平等をなくそう……「国内および各国の不平等を是正する」
⑪住み続けられる街づくりを……「持続可能な都市を実現する」
⑫つくる責任、つかう責任……「持続可能な生産消費形態を確保する」
⑬気候変動に具体的な対策を……「気候変動およびその影響を軽減する」

⑭海の豊かさを守ろう……「海洋・海洋資源を保全する」
⑮陸の豊かさも守ろう……「陸域生態系を保護・回復する」
⑯平和と公正をすべての人に……「人々に司法へのアクセスを提供する」
⑰パートナーシップで目標を達成しよう……「グローバルなパートナーシップを活性化する」

以上、これらは目標であると同時に、恵まれない環境に置かれた人々の救出を求める声でもあるのでしょう。この17個の目標のうち、本書のテーマであるエネルギー問題に直接触れているのは、⑦の「エネルギーをみんなに、そしてクリーンに」です。これに対するアジェンダ（課題）は何かというと、「2030年までに、安価かつ信頼できる現代的エネルギー・サービスへの普遍的アクセスを確保する」となっています。

SDGsに対する各方面の取り組み

このような国際的な背景を踏まえ、日本の環境省ではG7各国（フランス、アメリカ、イギリス、カナダ、ドイツ、イタリア、日本）との間で連携・調整を行ない、企業・自治体・政府等によるSDGsの達成に資する先進的な取り組みを、共有ならびに情報発信するワークショップを開催することにしました。

ＳＤＧｓでは国家や政府だけでなく、ＮＰＯ／ＮＧＯといった民間セクターはもちろん、企業も含めて、文字通り「世界のすべての人たちが課題解決に主体的に取り組む」ことを求められています。つまり、「どこかの誰か」が実行するのではなく、あなたの属する企業や、あなた自身も参加し、実行することを求められているのです。

企業の多くはこれまでにも、「**CSR**（企業の社会的責任）」の見地から社会貢献活動を行なってきました。このＣＳＲとＳＤＧｓとは何が違うのでしょうか。一言でいうと、ＣＳＲは金融機関が植林活動を行なうなど、本業とは直接関係のない活動が主だった、といえます。これに対して、ＳＤＧｓは各企業がそれぞれの本業を通じて目標達成に取り組むことが重要であると示唆しています。

たとえば、省エネもＳＤＧｓの活動の一環ということもできるでしょう。不要だと思って棄ててきた排熱を有効利用することも、ＳＤＧｓの目標達成につながります。その他にも、本書の第６章で紹介する「新しく開発された『再生可能エネルギー』」の多くはＳＤ

Gsの精神に沿ったものということができるでしょう。

SDGsは遠大な目標ですが、それを達成するのは必ずしも壮大な計画である必要はないのです。一人ひとりが自分の足元を見つめ、できることから一歩一歩始めていく。その繰り返しが新しいエネルギーの発見と、旧来のエネルギーのさらなる有効利用を通じて、社会の持続的発展につながっていくということではないでしょうか。

2020年10月、菅義偉首相は所信表明演説において「2050年までにカーボンニュートラルを実現する」旨、宣言しました。日本の経済界はこの宣言を驚きと衝撃をもって迎えました。

その2か月後、菅政権は2050年までにCO_2排出量を実質ゼロにするため、各産業が取り組むべき目標を具体的に示した「グリーン成長戦略」を発表しました。それによれば、取り組むべき産業はエネルギーや自動車産業のみならず、金融やIT、食料や農林水産業など14もの分野にのぼることが明らかになりました。困難な目標に進む日本は世界中の注目を集めることになるでしょう。

脱炭素時代を生き抜くための「エネルギー」入門 Contents

第1章 「エネルギー」とは何だろう？

産業革命期から使われている「化石燃料」

第3章 21世紀に登場した「新しい化石燃料」

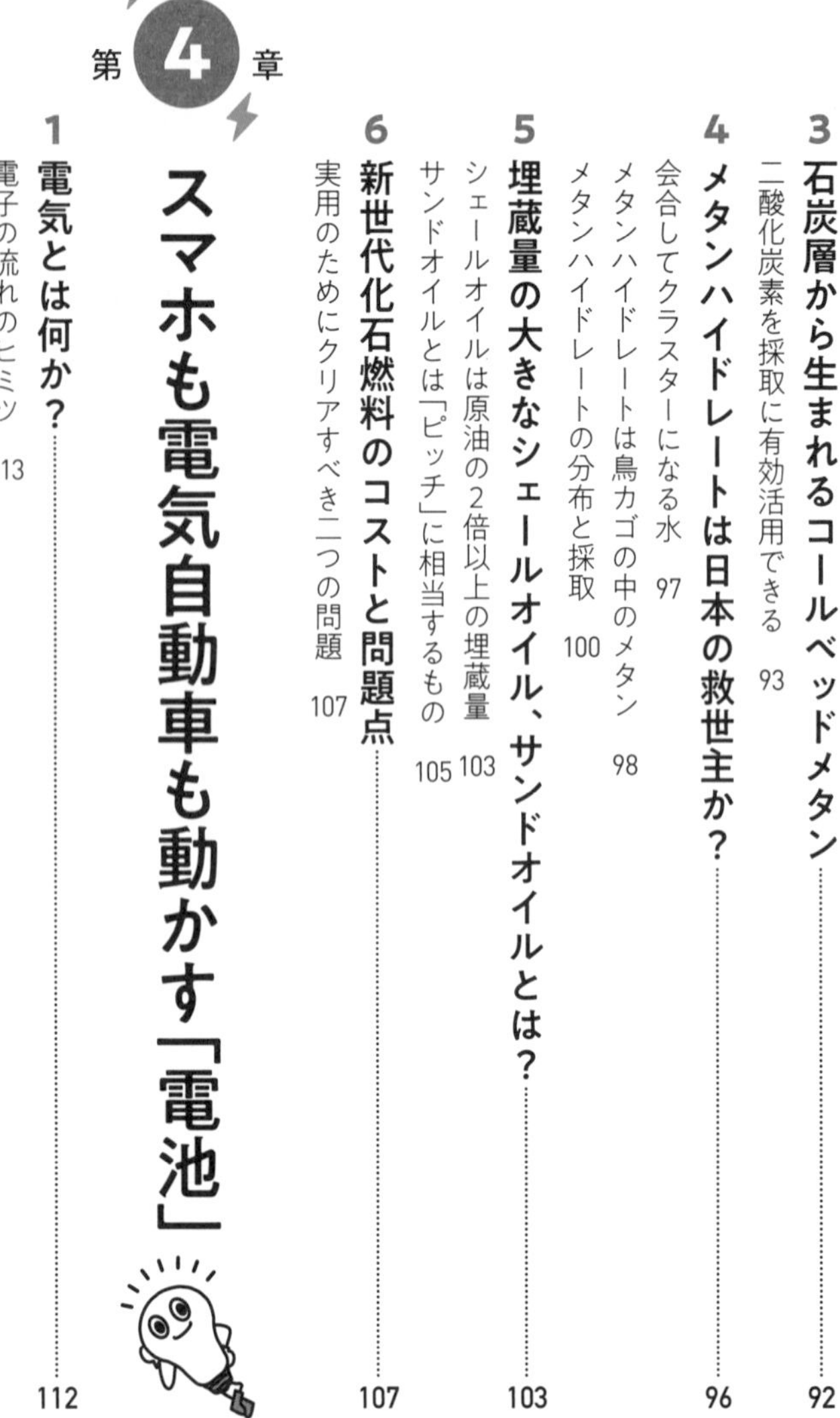

第4章 スマホも電気自動車も動かす「電池」

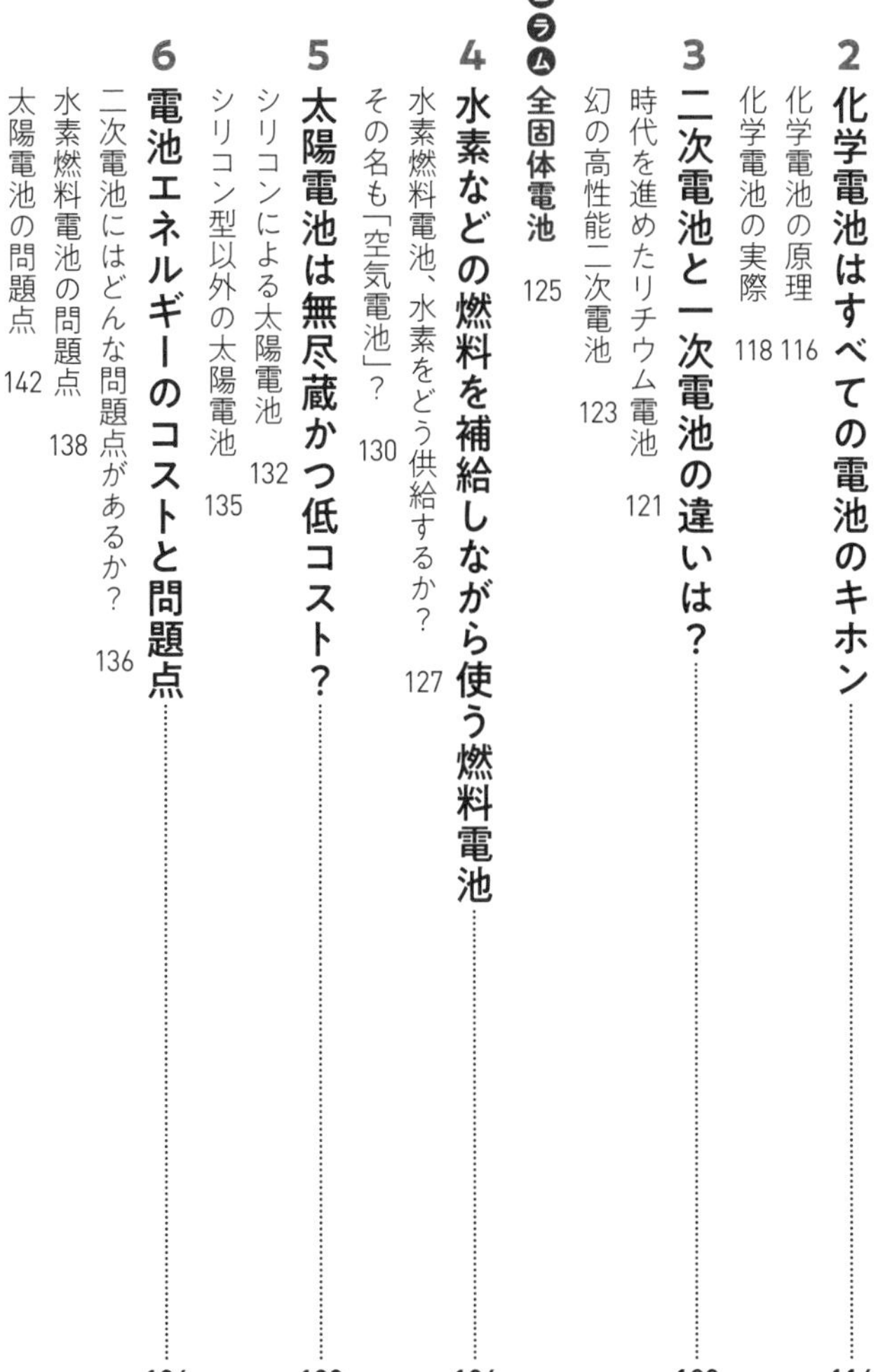

第5章 自然を利用した「再生エネルギー」

第6章 新しく開発された「再生可能エネルギー」

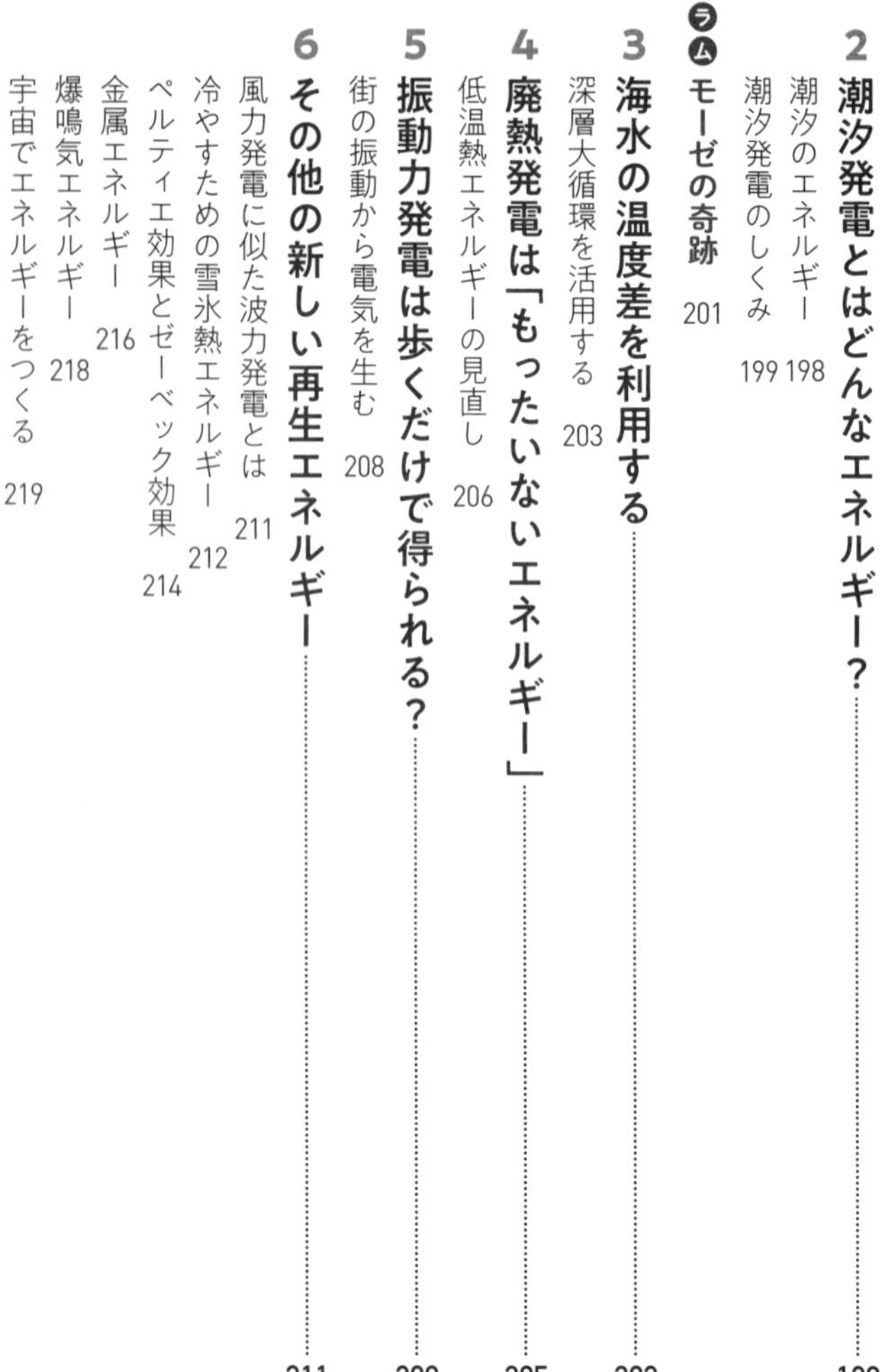

原子核エネルギーを利用した「原子力発電」

装丁：井上新八
装丁写真：rh2010/stock.adobe.com
本文デザイン：佐藤純（アスラン編集スタジオ）
イラスト：吉村堂（アスラン編集スタジオ）
編集協力：シラクサ（畑中隆）

第1章

「エネルギー」とは何だろう？

1 エネルギーは「いろいろな姿・形」をとる

エネルギー

仕事をする能力のこと。19世紀になってから、エネルギーの概念が確立された。

現代社会はエネルギーがなければ存続できないほど、エネルギーに頼り切っています。自動車、電車、船舶、飛行機、エレベーター、電動車いす、すべての移動手段はエネルギーで動いています。

ご飯を炊くのも、熱いコーヒーを入れるのも、エネルギーのおかげです。みなさんの生活に欠かせない通信手段であるケータイやスマホも、現代社会の頭脳ともいうべきパソコンも、さらにはスーパーコンピュータ「京」や「富岳」も、エネルギーがなければ、ただの大きな箱に過ぎません。

それどころではありません、人間も含めてすべての生物はエネルギーの上に生命活動を行なっています。花が咲くのも、チョウが飛ぶのも、風が吹くのも、水が流れるのも、太陽が輝き星が瞬くのも、すべてはエネルギーのおかげなのです。

エネルギーとは？

プロローグでも話したように、エネルギーが「仕事のもと」であるとしたら、仕事のもとになるものはたくさんあります。人類が仕事やエネルギーを定量的に考えるようになったのは産業革命の頃です。蒸気機関が発明され、「仕事量を馬の仕事量で計測しよう」というわかりやすい考えから、「馬力（ばりき）」という言葉が生まれました。

蒸気機関は馬車のように重い荷物を運ぶことができます。しかし、馬が飼葉（かいば）を食べなければ働かないのと同じように、蒸気機関を動かすためには、石炭を燃やしてボイラーの水を加熱し、水蒸気をつくらなければなりません。すなわち、蒸気機関が行なう仕事の原動力は「石炭を燃やすこと」にあるのです。

しかし、水蒸気をつくるだけなら石炭を燃やさなくても、他の手段があります。凸（とつ）レンズで集めた光をガラス板の上の水滴に集中させれば水滴は蒸発して水蒸気になります。つまり、蒸気機関の仕事は物質を燃やして得た熱や、太陽から来た光によって行なわれているのです。

これは「熱」や「光」が「仕事のもと」、つまりエネルギーであることを示しています。このように、日常世界ではエネルギーは熱や光という、目で見、肌で感じることのできる形に変貌して出現しているのです。このような「エネルギー」の〝顔〟には多くの種類がありますが、代表選手は電気、電力です。現代社会で最も使い勝手のよいエネルギーは**電気エネルギー**です。スイッチ一つで入断（オン／オフ）が切り替えられます。昔のように、火打石（ひうちいし）を打つ必要はありません。

しかし、電気エネルギーそのものは自然界にはほとんど存在しません。ドアに触れた時のパチっという静電気や、それが大がかりになった雷（稲妻）くらいのものです。実際には電子エネルギー、結合エネルギーなどの形で原子、分子の中には膨大な量が内蔵されているのですが、人類がそれを理解し、自由に使うことができるようになるのは、もう少し時を待たなければなりませんでした。

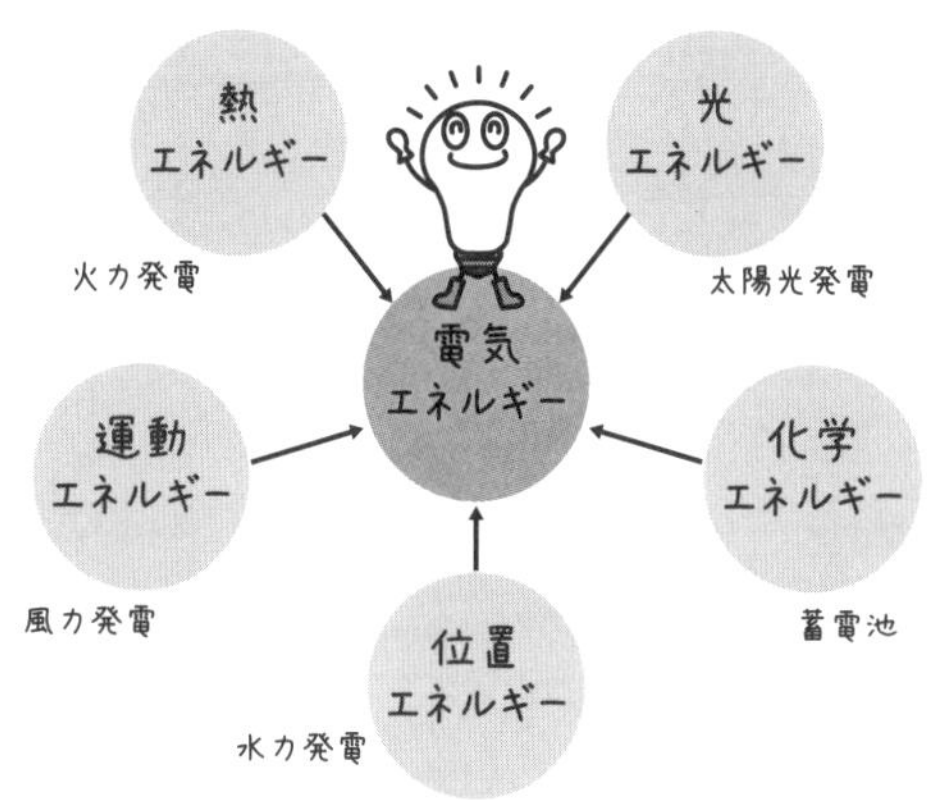

電気エネルギーは様々なエネルギーからつくられる

現在では、電気エネルギーは他のエネルギーを変化、改質してつくります。つまり、火力発電によって熱からつくったり、太陽電池によって光からつくったりするのです。風力発電では風の力でつくります。

このように、エネルギーはいろいろな形で現われますが、「エネルギー」そのものとして現われていることはありません。だから、いざあらためて「エネルギーとはなんぞや？」と聞かれると返答に困ります。

エネルギーは熱、光はもちろん、電力、風力、水力など、**私たちが一般に「力」と考えるものの最大公約数、共通項がエネルギー**だと考えると、スッキリ理解できるのではないでしょうか。

世界はエネルギーに満ちている

石油はあと50年でなくなる、エネルギー危機、それに対処するための省エネルギーなどが叫ばれています。しかし、心配することは何もありません。というのは、私たちの世界はエネルギーに満ち満ちているからです。エネルギーは無尽蔵といってよいほどあります。人間が使っても、その分、姿を変えてどこかで甦っています。「エネルギーは不滅」なのです。ただ、人間がその使い方を知らないだけの話です。

太陽は煌々と輝いて、私たちに熱エネルギーと光エネルギーを届けてくれています。太陽はこの先、１００億年くらいは輝き続けるといわれています。人類はあと何年存続するのかわかりませんが、太陽の消滅する１００億年先まで心配する必要はないでしょう。

無尽蔵なエネルギーを持っているのは、太陽だけでありません。地球も同じです。地球の表面温度は20℃程度ですが、中心部は６０００℃に達する高熱です。太陽の表面温度と同じくらい熱いのです。これは地球ができた時、つまり原始溶岩地球の時代の熱が残っているのではありません。そんなものは地球誕生以来の46億年の間に宇宙空間に飛び去っています。

地球が今に至っても熱いのは、地球内部で進行する**原子核崩壊反応**のおかげなのです。地中に存在するウランやラジウムなどの放射性原子核が、α線やβ線などという放射線を出すことで、小さな原子核に変化する（原子核崩壊）時に発生する熱によって温められているのです。

私たちが日々生活するこの穏やかな環境だって、エネルギーに満ちています。例えば、「いいかげんにしてくれ！」と叫びたくなるほど夏が暑いのは熱エネルギーのせいです。そよそよと吹く風は風力で、大きくなれば台風になります。寄せては返す波は波力です。川が流れるのは、上から下へという位置エネルギーです。

植物は二酸化炭素と水を原料とし、太陽光のエネルギーを用いて果実や種子の炭水化物をつくります。つまり、炭水化物は〝太陽光エネルギーの缶詰〟なのです。草食動物はその缶詰を食べて命を育て、肉食動物はその草食動物を食べて命を育てます。動物に食べられた炭水化物は体内の生化学反応によって「水と二酸化炭素」に戻され、その時に先に吸収した光エネルギーを**化学反応エネルギー**として放出し、そのエネルギーによって私たちは体温を維持し、心臓の筋肉を動かし、脳の神経回路を動かして生きているのです。

このようにエネルギーは生物から地球、宇宙に至るまで、すべての領域に介在し、すべてを動かしている〝すべての源〟なのです。

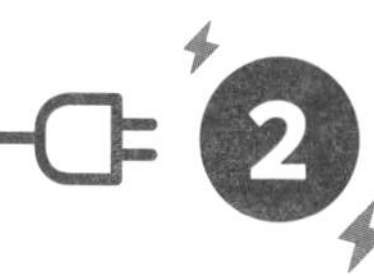

エネルギーは永遠に不滅です！

位置エネルギー

ある高さ（位置）にあることで、物体に自然に蓄えられるエネルギーのこと。「高さ」が重要。

リンゴが木から落ちるのを見て、ニュートンが発見したとされるのが「万有引力」です。この引力のうち、地球が持つ引力のことを「重力」といいます。地球が地球上の物質に働く引力、エネルギーは**位置エネルギー**という名前で表わされます。エネルギーの量的表現にはいろいろな方法がありますが、位置エネルギーの場合には、通常、置かれた高さが高いほど大きくなります。つまり、位置エネルギーは「高さに比例する」のです。

そして大きいエネルギーを持った状態を高エネルギー状態、反対にエネルギーが小さい状態を低エネルギー状態といいます。これは位置の高低と一致しているので、大変わかりやすい表現ですね。

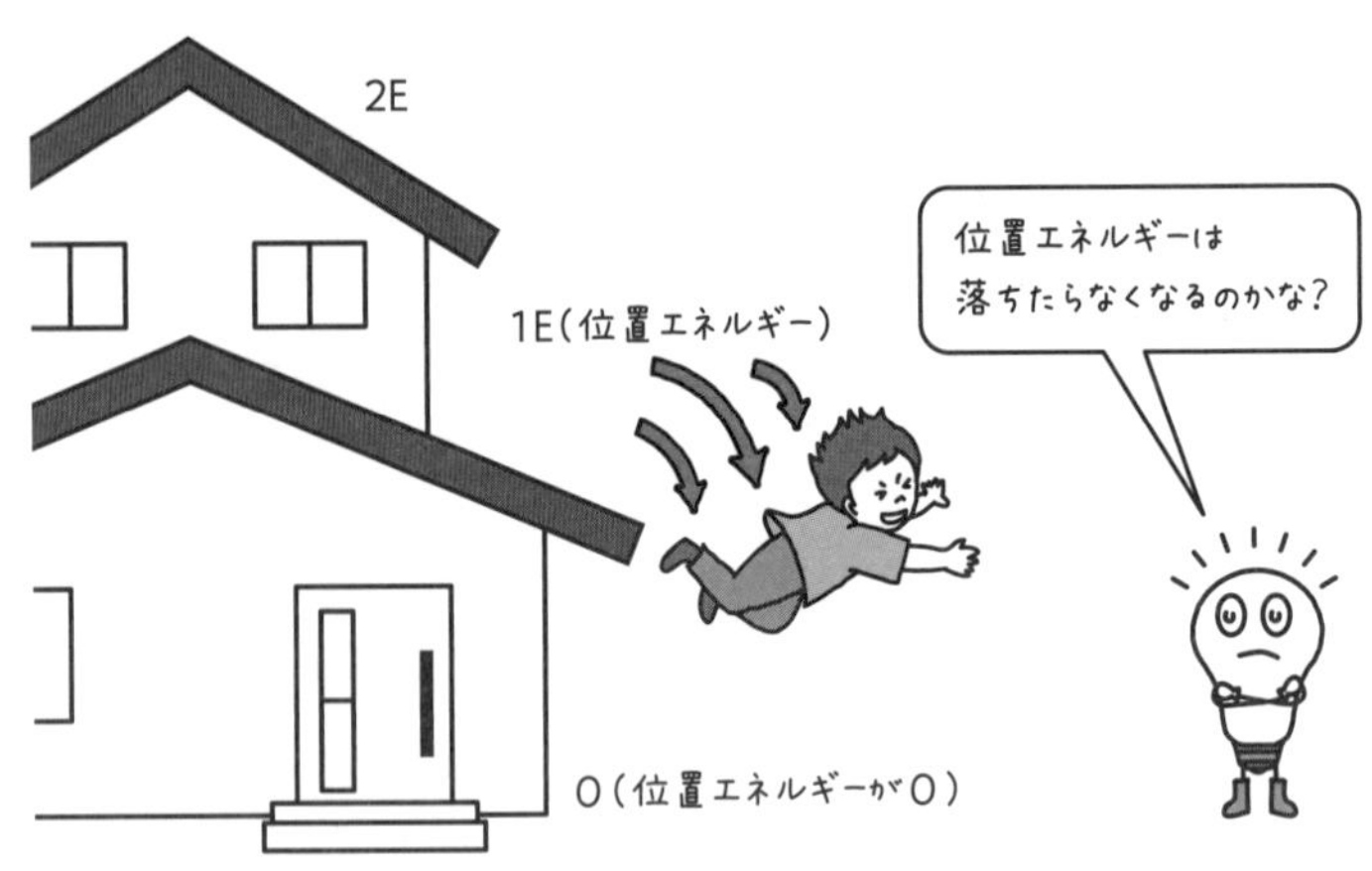

位置エネルギーの１Ｅは地面に飛び降りたらどうなる？

一般に、高エネルギー状態は低エネルギー状態に移行しようとする傾向が強いため（安定な状態になろうとする）、高エネルギー状態は不安定状態、反対に低エネルギー状態は安定状態と考えられます。川の水が流れるのも、ボールが坂を転げ落ちるのも、すべては高エネルギー状態から低エネルギー状態に移行しているのです。最もエネルギーの低い最安定状態を「**基底状態**」、基底状態よりエネルギーの高い状態を「**励起状態**」と呼ぶこともあります。

地面を基準（高さ＝0）とし、この高さにある物体の位置エネルギーを0としましょう。すると、位置エネルギーは高さに比例して大きくなるので、1階の屋根の位置エネルギーは1E、2階の屋根ならば2Eとなります。

今、1階の屋根に上った人が地面に飛び降りて脚をケガした、とします。すると、この人の位置エネルギーは「1Eから0になった」ことになります。つまり、この飛び降りるという行為によって、この人の位置エネルギーは1Eだけ減ったわけです。このように、二つのエネルギー状態の間のエネルギー差を、一般に⊿E（デルタ・イー）という記号で表わします。この場合は「⊿E＝1E－0＝1E」ということです。つまり、1Eが消えたのです。これはどういうことでしょう？

熱力学第一法則（エネルギー不滅の法則）

宇宙で最も原則的な法則に「**エネルギー不滅の法則**」というものがあります。これは、「エネルギーはなくならない」という極めて単純な法則です。このエネルギー不滅の法則は、「熱力学第一法則」とも「質量不滅の法則」とも呼ばれます。質量不滅の法則は「質量はなくならない」ということです。

二つの法則を比較すれば、「エネルギーとは質量である」ことがわかりますが、これはあとに見るように、原子核反応で非常に重要なことになります。つまり、1階の屋根にいた人の飛び降りという行為によって、1Eだけのエネルギーが消滅したように見えますが、エネルギー不滅の法則によれば、「実はなくなっていないよ」ということなのです。では、このエネルギーはどこに消えたのでしょうか?

それを表わすのが、この飛び下りた人の「ケガ」です。この人は飛び降りた衝撃で脚をくじきました。これは消えたように見えた1Eの位置エネルギーが、実は「脚をくじかせる」という「**仕事**」をしていたことを意味します。つまり、位置エネルギーは消えたのではなく、仕事に変化していました。「エネルギーは仕事のもと」なのです。

もし、2階の屋根から地上に飛び降りたら、放出されたエネルギー(2E)はもっと大きくなります。当然、仕事量も大きくなります。飛び下りた人は脚をくじくどころではなく、骨折していたでしょう。もし3階の屋根から飛び降りたとしたら、命を失ったかもしれません。エネルギーとはこのような働き(仕事)をしており、決して消えるわけではないのです。

分子が持つエネルギーとは

分子のエネルギー

化学反応の前後の「エネルギーの変化量」を知ることが大事。

前項で、すべての物質はいろいろなエネルギーを持つことを見ました。そのようなエネルギーには、「万有引力」や、もしその物質が動いているなら「重心の移動にともなう運動エネルギー」があります。

内部エネルギーとは？

物質が持つエネルギーのうち、「万有引力」と「重心の移動にともなう運動エネルギー」を除いた分をひっくるめて、その物質の**内部エネルギー**（記号U）と呼びます。

物質の例として分子を考えてみましょう。分子は多種類、複数個の原子が結合してできています。原子が結合すると結合エネルギーが発生します。結合が伸び縮み、あるいは回

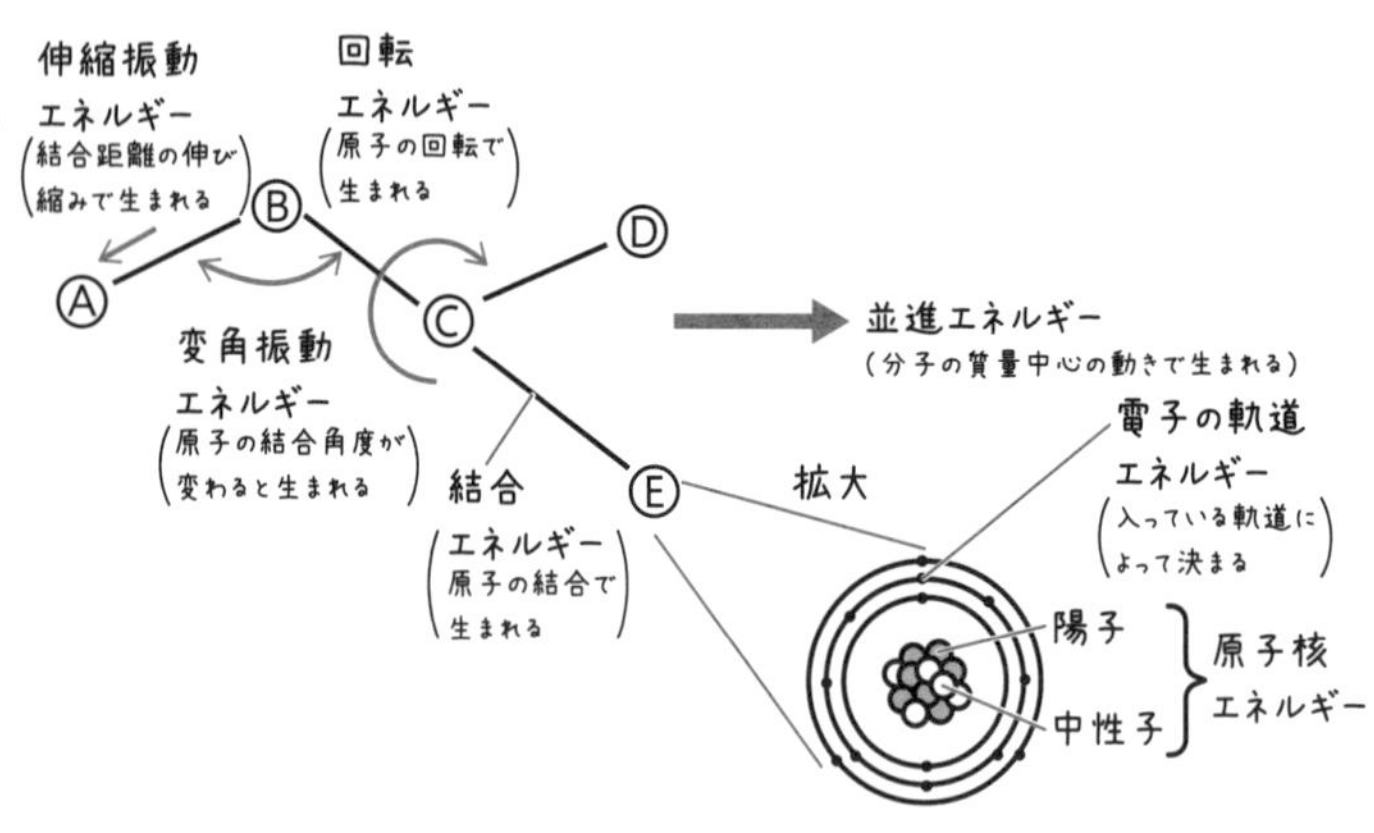

分子の内部エネルギーにもいろいろある

転すると結合の伸縮エネルギーや回転エネルギーが発生します。原子の内部には電子が存在しますが、このような電子には軌道エネルギーが、原子核には原子核エネルギーが付随します。

19世紀の科学者は、結合エネルギーの存在はもちろん、原子核エネルギーなど、想像もしていませんでした。このように、物質の持つエネルギーの種類は、科学が発達すればするほど新しいものが発見されるといってよいでしょう。このすべてが分子の内部エネルギーということになるのです。

では、「分子をエネルギー的に扱うことはできないのか？」というと、そんなことはありません。総量を知ることはできませんが、エネルギーの変化量⊿Eを知ることはできます。そして、科学にとってはこれで十分なのです。

ニトログリセリンという分子があります。ダイナマイトの原料になる危険な爆発性の液体分子です。この分子に、叩く等のショックを与えてやると大爆発を起こし、同時に大量のエネルギーを発生します。このエネルギーはどこから来たのでしょうか？　叩くという物理的なエネルギーでしょうか？　いえいえ、そんな力などと比較にならないほど大量のエネルギーが発生します。これは分子の持っていた内部エネルギーの一部が、叩くというショックによって「放出された」ことによるものです。

物質変化（化学反応）とエネルギー変化

炭素と酸素が化学反応（燃焼）すると、二酸化炭素となります。

$$C + O_2 \rightarrow CO_2$$

しかし、炭（炭素）を燃やす時に発生するのは二酸化炭素だけではありません。熱が発生して周囲は熱くなり、炭は赤くなって光を発します。この反応では二酸化炭素とともに、

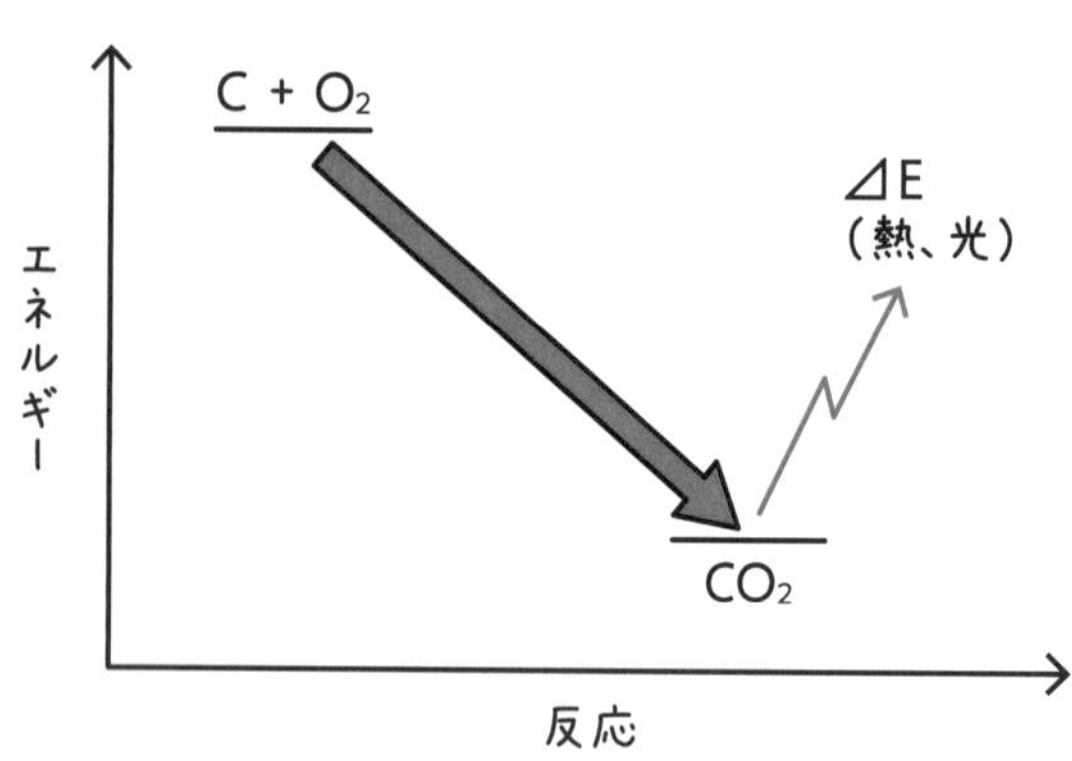

物質変化（横軸）とエネルギーの変化（縦軸）

熱や光、つまりエネルギー⊿Eをも発生しているのです。

このように化学反応には、炭素と酸素が反応して二酸化炭素になるという**物質変化**の側面と、**エネルギー変化**という二つの側面があります。エネルギー変化⊿Eを含めた式は次の式となり、このような式を特に熱化学方程式と呼びます。

$$C + O_2 = CO_2 + \Delta E$$

上図のグラフの縦軸はエネルギー、横軸は反応の進行を表わします。反応の出発点では、炭素と酸素が独立して存在します。そして、反応の終点では両者は合体して二酸化炭素になります。このような物質変化を横軸が表わします。そして、その変化にともなうエネルギー変化を縦軸が表わします。

つまり、出発状態は高エネルギー状態であり、終着状態は低エネルギー状態なのです。したがって、反応の進行にともなって両状態のエネルギー差⊿Eが放出され、これが熱となり、光となったのです。

高エネルギー分子が低エネルギー分子に変化すれば、そのエネルギー差⊿Eが外部に放出されます。このような反応を一般に**発熱反応**といい、放出されたエネルギーを**反応エネルギー**といいます。燃焼が典型的な例です。反対に低エネルギー分子が高エネルギー分子に変化するためには、外部からエネルギーを吸収する必要があります。このような反応を**吸熱反応**といい、吸収されたエネルギーもやはり反応エネルギーと呼びます。

多くの有機化学反応は吸熱反応であり、加熱しなければ反応は進行しません。身の回りにある吸熱反応の例としては、簡易冷却パットがあげられます。これは、硝酸ナトリウムなどが水に溶ける時にエネルギーを吸収することを利用したものです。

一般に新しい化学結合が生成する反応は発熱反応であり、結合が切断される反応は吸熱反応となることが多いです。炭の燃焼が発熱反応なのは、炭素と酸素の間に新しい結合が生成したことによるものです。それに対して硝酸ナトリウムの溶解が吸熱反応なのは、溶解にともなって硝酸ナトリウムの結晶が崩れ、分子と分子を結びつけていた分子間力という結合が切れたことに由来します。

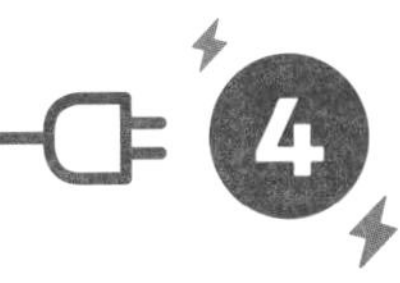

蛍光灯はなぜ光るのか？

光のエネルギー

電磁波の一つである「光」が持つエネルギーのこと。その大きさは、光に含まれる光子の数、光子の周波数(波長)によって決まる。

夜になって暗くなると、「電気を点けて」明るくします。電気は電気エネルギーですが、光エネルギーを持つ光と違って、電気そのものが明るいわけではありません。明るいのは「光」です。私たちは電気を点ける、すなわち、蛍光灯に電流を流すことによって光エネルギーを発生させているのです。

電気エネルギーを光エネルギーに換える

蛍光灯に電流を流して発光させるというのは、化学的に見ると大変に複雑な現象です。しかし、エネルギー変化に限ってみれば、非常に単純に理解することができます。蛍光灯は青白い光を放つ水銀灯の一種であり、中には液体金属である水銀が入っています。これに電流を流すと水銀がジュール熱によって加

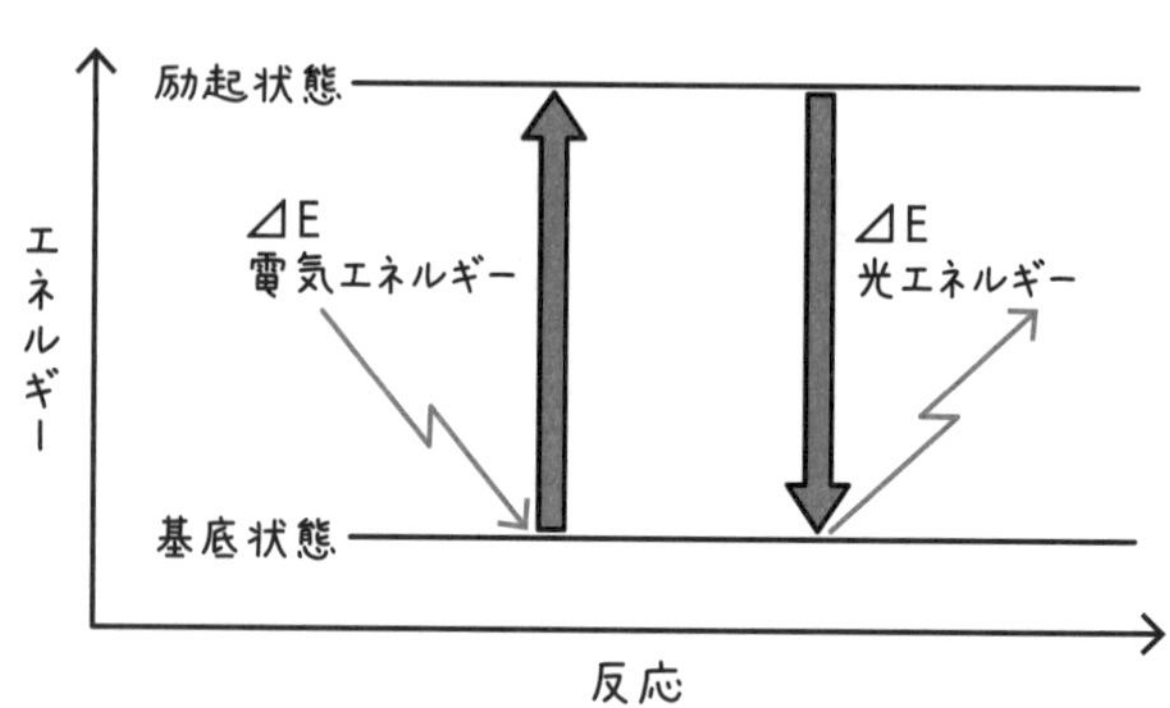

安定な状態(基底状態)と不安定な状態(励起状態)

熱されて水銀蒸気(気体)になります。この水銀蒸気はエネルギー的に安定な状態であり、先に見た基底状態にあります。

この水銀原子に電気的なスパークを飛ばして電気エネルギー⊿Eを吸収させると、水銀原子は基底状態より⊿Eだけエネルギーの高い状態、つまり励起状態になります。励起(れいき)状態は不安定であり、安定な基底状態に戻ろうとします。つまり、余分なエネルギー⊿Eを放出して基底状態に戻ります。この時、放出された⊿Eが光エネルギーとなって発光するのです。

前項で見た炭素と酸素の反応では、最初が高エネルギー、最後が低エネルギーで、そのエネルギー差⊿Eが反応エネルギーとなりました。しかし水

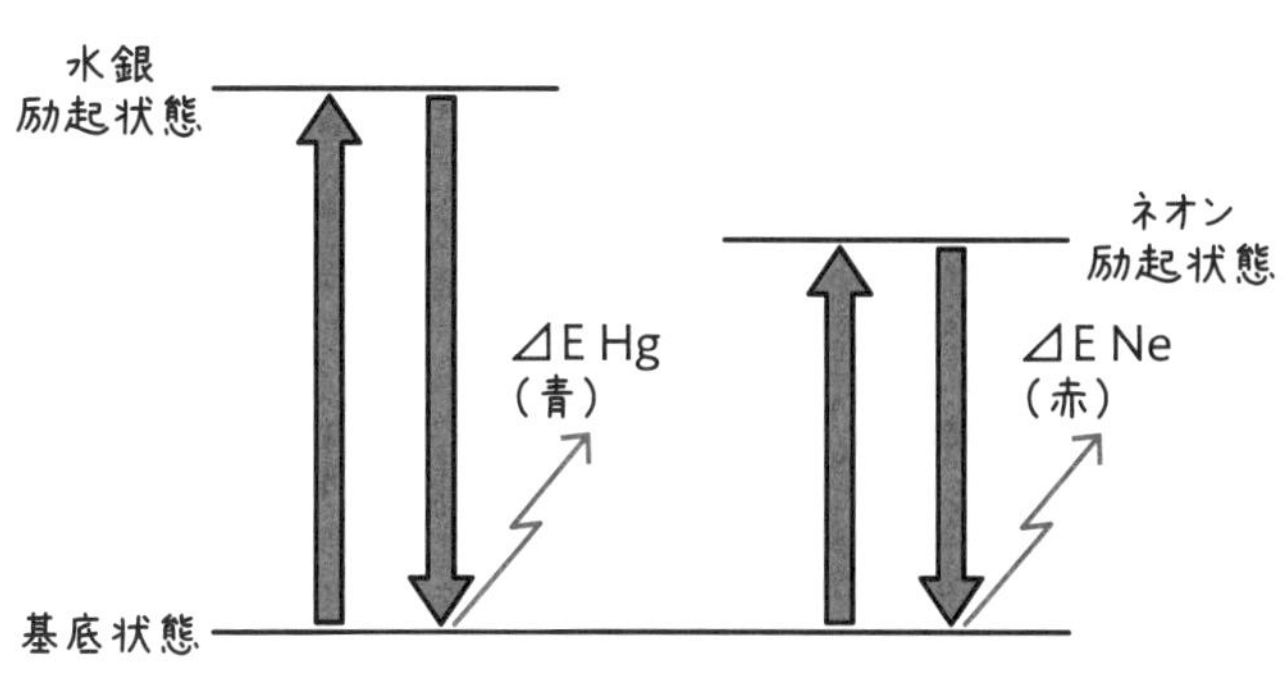

水銀とネオンの基底状態と励起状態のエネルギー差⊿E

銀灯の発光では、最初は低エネルギーの基底状態で、それに電気エネルギー⊿Eを与えて一時的に高エネルギーの励起状態とし、次にこの励起状態が⊿Eを光エネルギーとして放出し、もとの低エネルギーの基底状態に戻った、ということになります。

なぜ蛍光灯は白いのか？

ところで、水銀灯に電気を流せば青白い光が発生しますが、飲み屋街のネオンサインは赤い光が出ます。なぜ、色の違いがあるのでしょうか？蛍光灯は水銀原子が、ネオンサインはネオンが発光しますが、色の違いは、水銀とネオンの発光する光のエネルギーが異なっているからなのです。

上の図は、水銀とネオンにおける基底状態と励起状態のエネルギー差⊿Eを表わしたものです。

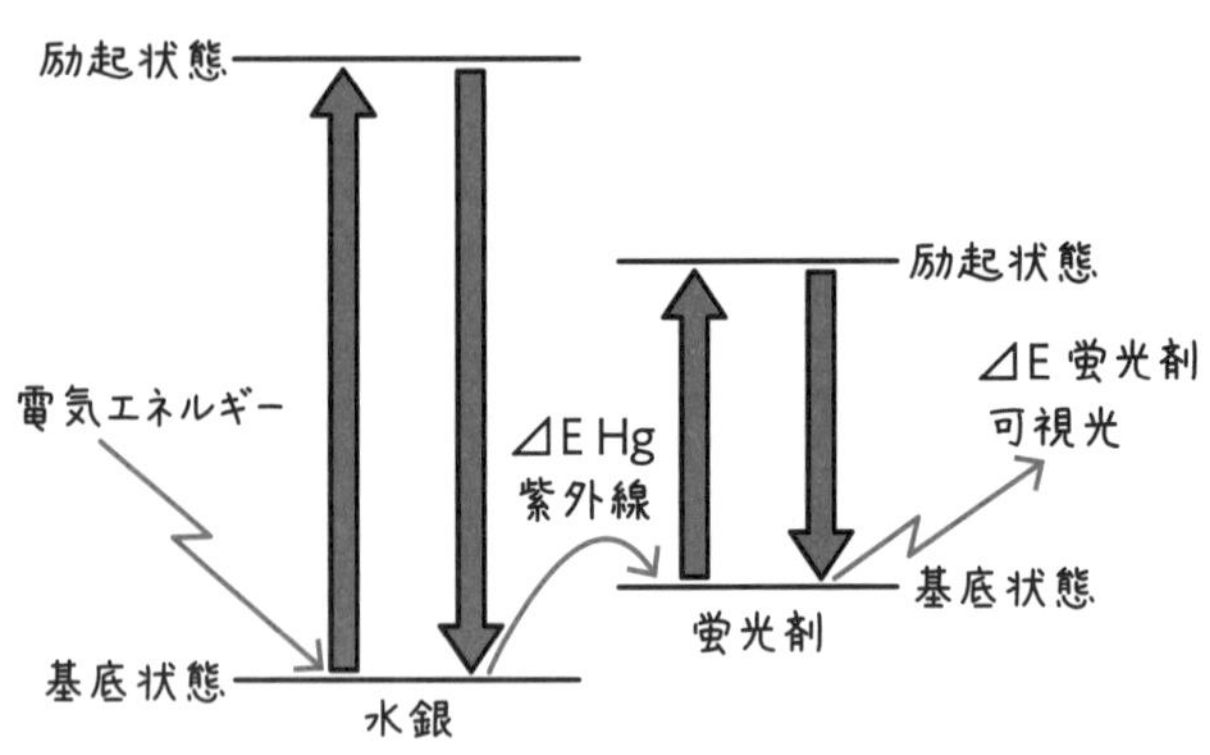

蛍光灯が光るしくみ

水銀では⊿Eは大きく、ネオンでは小さくなります。これは水銀灯から出る光はエネルギー⊿Eが大きい（エネルギーが大きいと青い光になる）、ネオンサインから出る光はエネルギー⊿Eが小さい（エネルギーが小さいと赤い光になる）ことを示すものです。

ところで、蛍光灯の中には水銀が入っており、その水銀が発光します。では同じ水銀が出す光でも、水銀灯の光は青いのに、蛍光灯の光は青くないのはなぜでしょうか？　それは蛍光灯のガラス管の内側に蛍光剤が塗ってあるからです。蛍光剤というのは、光を吸収して、その後また光を発する物質のことです。

水銀灯（蛍光灯）において基底状態の蛍光剤

は、水銀が発した青い光⊿E（水銀）を吸収します。この結果、蛍光剤はエネルギーの高い励起状態になり、その後、余分なエネルギー⊿E（蛍光剤）を光として放出します。しかし、この光吸収、光放射という過程でエネルギーロスが起こり、⊿E（蛍光剤）は⊿E（水銀）より小さくなります。この結果、蛍光灯の光は水銀灯の光より長い波長部に移動し、青みが薄れているのです。

蛍光剤は洗濯でも使われています。現在の洗剤の多くには、ワイシャツなどの白を際立たせるために、蛍光漂白剤と呼ばれる物質が入っています。もともとは西洋トチノキから見つかったエスクリンという物質です。これは太陽光のうち、高エネルギーで人間の目に見えない紫外線を吸収し、それよりエネルギーの若干小さい青い光を放射します。この青い光がワイシャツに着いた薄黄色のクスミを消して「白く見せる」のです。

本来、理解することも説明することも困難なエネルギー問題も、このように「位置エネルギーの図と考え方」を用いると、理解しやすくなります。みなさんも、「図を心に描いて考える」ように習慣づけると、いろいろな現象をスッキリと解釈、理解することができるようになるのではないでしょうか。

5

氷に触ると冷たいのはなぜか？

エントロピー

「乱雑さの程度」を表わす言葉。熱力学、統計力学、情報理論などで使われる言葉だが、それぞれの分野で意味づけが異なるので要注意。

エネルギーは、位置エネルギーの観点で見ると単純でわかりやすいのですが、その中身を掘り下げると、いろいろな問題が出てきます。「内部エネルギー」は先に説明した通りですが、他にも「自由エネルギー」「エンタルピー」など様々な概念があり、詮索（せんさく）すると本書の程度を超えることになります。しかし、一つ、注目しておく価値のある概念があります。それが**エントロピー**です。

宇宙の変化

エントロピーという言葉を聞いたことがあるでしょうか。日本語訳があるとわかりやすいのですが、残念なことにエントロピーの日本語訳はありません。どのような場合にもカタカナで「エントロピー」と書く以外ありません。

エントロピー（entoropy）はギリシア語で「内部」を表わすenと「変化」を表わすtropeを組み合わせた造語です。したがって、字面からの意味は「内部変化量」となりますが、どうしても日本語にしたい場合は、「**乱雑さの程度**」という説明でお茶を濁します。実際、エントロピーは乱雑さの程度を表わす指標なのです。

赤ちゃんは毎年、歳を取っていつかは老人に変化し、コーヒーの香りはカップからあふれて室内に広がり、整然とした都市は長い年月の間に戦乱や災害で乱雑な廃墟に変化します。この変化が逆の方向、つまり散らかった部屋が自然に整理整頓された部屋に向かうことはありません。宇宙も同じです。

川の流れは高い状態から低い状態に移動します。つまり、高エネルギー状態から低エネルギー状態に変化します。しかし、すべての変化がそうだというわけではありません。先に見た吸熱反応のように、低エネルギー状態から高エネルギー状態に変化する反応だってあります。

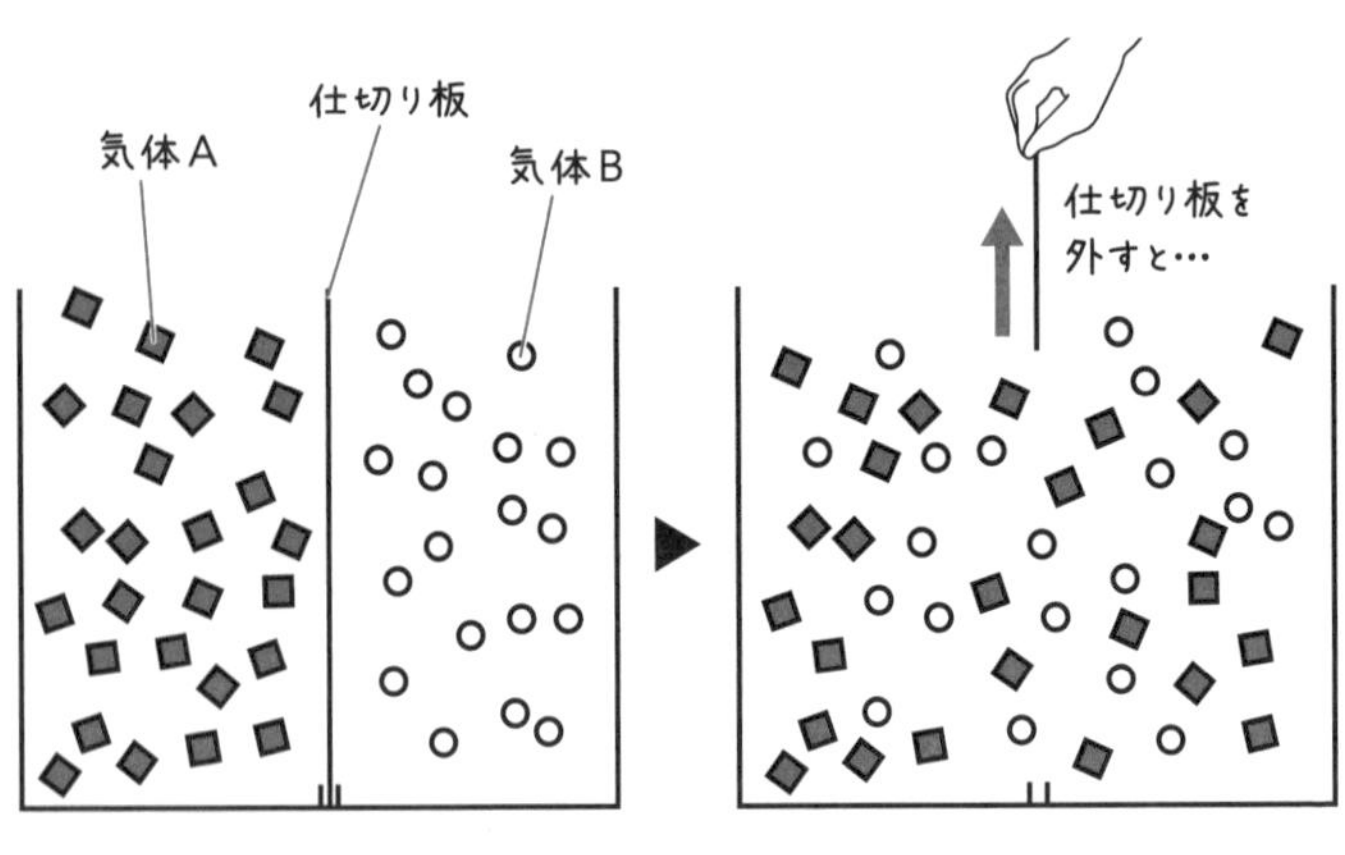

エントロピーとは

このように考えると、反応を進行させる要因はエネルギーだけではないようです。それでは、反応を進行させる要因で、エネルギー以外の要因とは何なのでしょう。このような疑問から考案されたのがエントロピーです。

箱の内部を仕切り板で区切って2室に分けます。片方に気体Aを入れ、もう片方に気体Bを入れます。このままでは、AとBは画然と仕切られた状態であり、整理された状態ということができます。

この仕切り板を外してみましょう。何が起きるでしょうか。両方の気体は互いに行き来するようになり、混じり合ってしまいます。これは乱雑な混合状態です。美しく建てられた家も、住人がいなくなって数十年も経ったら畳も壁も崩れてしまい、乱雑に荒廃した廃屋になります。

整然とした美しい都市も整備する住人がいなくなったら、何世紀かあとには戦乱や震災などで見る影もない廃墟と化します。その時にはもとの都市にあった道徳も倫理も法体系も、すべて崩れて無秩序な混乱状態に陥ります。どうも、宇宙には乱雑な状態に向かって自発的に変化する習性があるようです。

「エネルギー÷絶対温度」がエントロピー

この乱雑さの程度を表わす量として定義されたのがエントロピーSです。系が乱雑であればSは大きくなり、整然としていればSは小さくなると考えます。エントロピーは式で表わせば熱、すなわちエネルギーを絶対温度Tで割ったものです（次ページ参照）。

宇宙の根源的な性質を研究する学問の一つに「**熱力学**」があります。熱力学には重要な法則が三つあります。一つは先に見た第一法則の「エネルギー不滅の法則」です。しかし、次に見るように、第二法則と第三法則がエントロピーに関したものであることがわかれば、

$$エントロピー = \frac{エネルギー}{絶対温度}$$

エントロピーを表わす式

エントロピーがいかに重要な概念であるかがわかるでしょう。

つまり、熱力学第二法則は「変化はエントロピーが増大する方向に起こる」です。すでに述べたように、整然とした状態から乱雑な状態に変化するというものです。そして、第三法則は「絶対温度零度の純粋結晶のエントロピーは0である」というものです。

第二法則が正しいことは、私たちが日常的に経験していることです。つまり、氷に触れると冷たいということです。なぜ氷が冷たいのかといえば、指の熱が氷に奪われるからです。これは、熱が指から氷に移動したことを意味します。すなわち、熱は「高温の指から低温の氷に向かって移動した」のです。このように、熱は常に高温側から低温側に移動します。反対方向に移動することはありません。反対に移動させるためには、そのためのエネルギーを必要とします。電気エネルギーを用いるクーラーがその例です。

指と氷におけるエントロピーを比較してみましょう。氷と指の絶対温度はそれぞれ２７３Ｋ（ケルビン）、３０９Ｋ（体温を36℃とする）です。指から氷に移動した熱量をＥとすると、この熱が指にあればＳ＝Ｅ÷309で、熱が氷にあればＳ＝Ｅ÷273です。つまり、いうまでもなく、氷のほうが大きいのです。この理由で熱は指から氷に移ります。エントロピーが増大する方向に変化が起こったのです。

一般に化学変化は「エネルギー減少」「エントロピー増大」の方向に変化します。このエネルギーとエントロピーを合体させた量が自由エネルギーという概念です。それを用いると、「化学変化は自由エネルギーの減少する方向に変化する」ということができるのですが、それに関しては「化学熱力学」の本を参照していただくことにしましょう。

第2章

産業革命期から使われている「化石燃料」

化石燃料って、何？

化石燃料

古代の生物が地熱と地圧で変化したのが化石燃料。主に、石炭、石油、天然ガスの３つを指す。

第1章で見たようにエネルギーには多くの種類がありますが、人類にとって最もなじみ深いエネルギーは火の熱さなどの**熱エネルギー**でしょう。人類が誕生して間もない頃、彼らが用いた熱エネルギーは山火事の残り火だったかもしれません。

しかし、現代において人類が利用する熱エネルギーの多くは石炭、石油、天然ガスなど、一般に化石燃料と呼ばれるものの燃焼によるものです。**化石燃料**とは、太古の生物の遺骸（いがい）が地中に埋もれ、地熱と地圧によって変化し、分解してできた燃料のことです。つまり、現代のエネルギーはもっぱら有機物に頼っているのです。

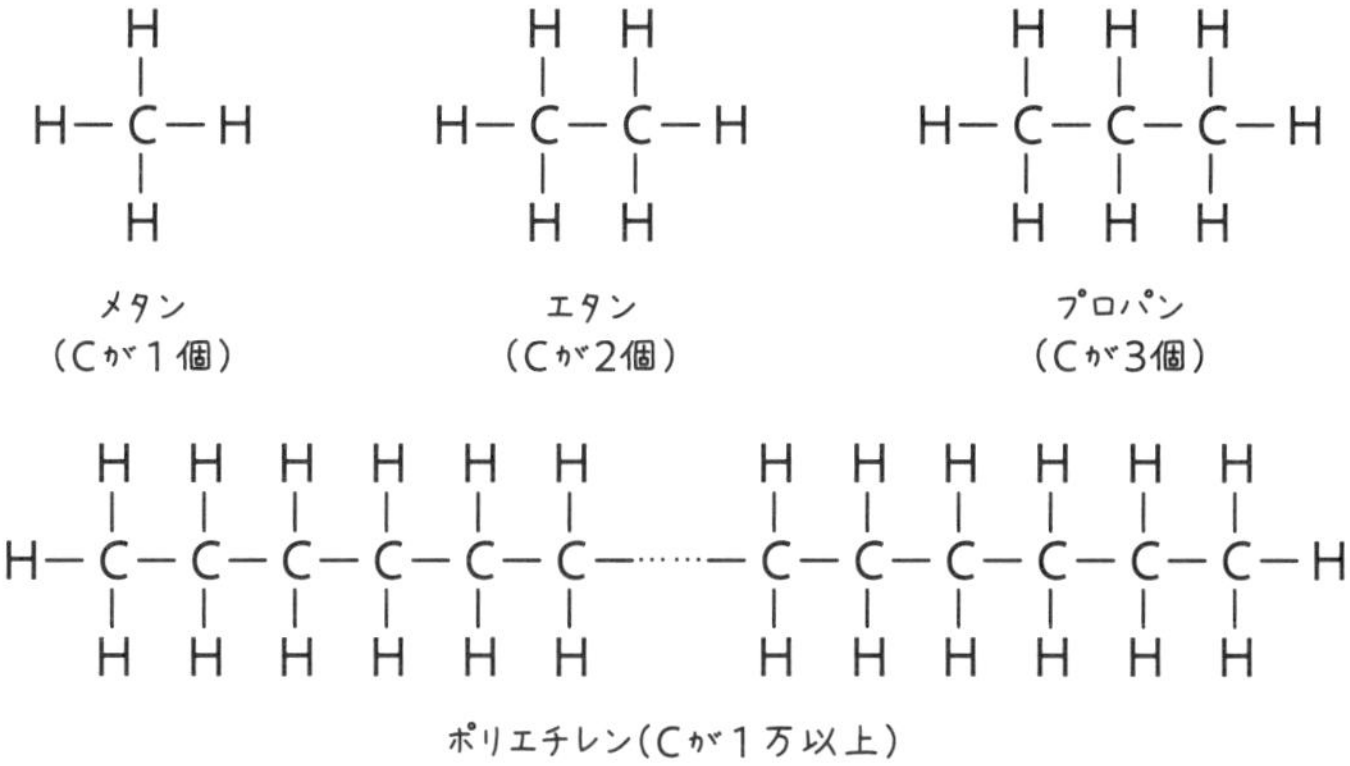

```
    H            H   H            H   H   H
    |            |   |            |   |   |
H — C — H    H — C — C — H    H — C — C — C — H
    |            |   |            |   |   |
    H            H   H            H   H   H
```

メタン
（Cが1個）

エタン
（Cが2個）

プロパン
（Cが3個）

```
    H   H   H   H   H   H           H   H   H   H   H   H
    |   |   |   |   |   |           |   |   |   |   |   |
H — C — C — C — C — C — C —……— C — C — C — C — C — C — H
    |   |   |   |   |   |           |   |   |   |   |   |
    H   H   H   H   H   H           H   H   H   H   H   H
```

ポリエチレン（Cが1万以上）

炭素の数が重要

化石燃料は「炭素＋酸素」

化石燃料を構成する主な原子は炭素Cと水素Hです。一般に、炭素と水素だけからなる化合物を**炭化水素**といいます。実際の炭化水素の化学式を示すと、上図のような構造となります。ここで大事なのは、連続した炭素Cの個数です。小さい炭化水素なら炭素が1個（メタン）のものからあり、大きい物なら炭素が1万以上のもの（ポリエチレン）まで、多数の種類があります。

炭化水素の性質（特に沸点）は、炭素数に大きく依存しており、一般に炭素数が5個程度までなら気体、20個程度までなら液体、それ以上なら固体となります。そのため、炭素数に応じて天然ガス、ガソリン、灯油、軽油、

n（炭素の数）	名前（沸点）	状態
1	メタン（天然ガス）	気体
2	エタン	
3	プロパン	
4	ブタン	
5～11	ガソリン（30～250）	液体
9～18	灯油（170～250）	
14～20	軽油（180～350）	
>17	重油	
>20	パラフィン	固体
数千～数万	ポリエチレン	

炭化水素の種類

重油などの、聞き慣れた名前で分類されることになります。

炭化水素（化石燃料）が燃焼、すなわち酸素と反応すると、炭素部分、水素部分がそれぞれ独立に酸素と反応します。その結果、炭素Cは二酸化炭素CO_2となり、水素Hは水H_2Oとなります。

$C + O_2 \rightarrow CO_2 + $エネルギー

$2H_2 + O_2 \rightarrow 2H_2O + $エネルギー

この二つの反応の生成物は、いずれもエネルギー的に最低状態なので、いずれも**発熱反応**であり、反応エネルギー（燃焼エネルギー）を放出します。化石燃料が燃料として使えるのはこのためです。

ここで注意すべきことがあります。それは、炭素部分の燃焼はエネルギー（熱）とともに環境問題になっている二酸化炭素を発生しますが、水素部分の燃焼はエネルギーの他にはすべてに無害な水しか発生しないことです。ですから、化石燃料が環境にどれくらいの負荷を及ぼすかは、「分子構造に占める炭素の割合」から推し量ることができるのです。

石炭はどうやってできたのか？

石炭

古代の樹木が炭化してできたもの。燃ゆる石、黒いダイヤモンドなどとも呼ばれる。

人類は昔から石炭を燃料として用いてきました。ギリシャでは、紀元前400年頃、すでに鍛冶屋の燃料として利用されていました。また中国では、紀元前3000年頃には、陶器造りの燃料として利用されたことが知られています。

日本では、189年に、神功皇后が現在の福岡県で、「燃える石を焚いて御衣を乾かした」との伝説があります。歴史に残っているものでは、587年に越後の国から天智天皇へ、「燃える水と燃える石の献上」があったという記述があります。しかし、このような利用は決して大規模なものではなく、珍しい物としての扱いだったようです。

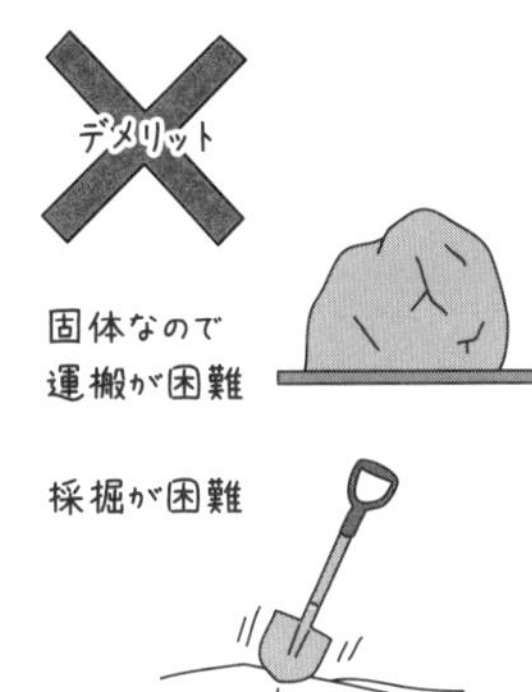

石炭のメリット、デメリット

エネルギーとしての石炭

石炭が本格的に利用されるようになったのはヨーロッパでは18世紀後半に始まる産業革命期です。日本における本格的な石炭の生産・利用はそれから半世紀以上も遅れ、三池炭鉱開発が開始されたのが1855年のことです。その後の使用量は産業の発展とともにうなぎのぼりで、20世紀初頭の昭和初期にはエネルギーの3／4を石炭で賄って(まかなって)おり、そのほとんどが国産でした。しかし21世紀初頭の現在では、石炭は日本の全エネルギーの20％ほどを占めるに過ぎません。

石炭のメリットは一か所で大量に採掘できることと、世界各地に広く分布していることです。石炭は露天掘り（坑道を掘らず地表から掘っていく手法）ができるところもありますが、多くは地中に埋まっています。

石炭のデメリットは固体であることと、地下に炭鉱を掘ってツルハシとスコップを用いて人力で採掘しなければならないことです。ポンプで自動的に汲み上げることのできる石油よりも、はるかに採掘が困難です。その上、運搬もパイプを敷設すれば自動化できる石油に比べて困難であり、貨車や船を使わなければなりません。

しかし、石炭は石油のおよそ8倍の埋蔵量があるといわれています。また、可採年数も132年（2018年末時点）といわれ、50年程度といわれる石油、天然ガスに比べてはるかに豊富です。そのため、石炭を改質して使いやすくする工夫なども行なわれています。

石炭の生成と種類

石炭は古代の植物が地熱と地圧によって分解炭化したものです。石炭の中には年輪の見えるものがあり、生成にいろいろな説のある石油に比べて、その由来が明確です。石炭は古生代の石炭紀（約3億6000万年前～3億年前）から新生代の古第三紀（6600万年前～2300万年前）にかけて大量に繁茂した植物が枯れて堆積し、微生物によって分

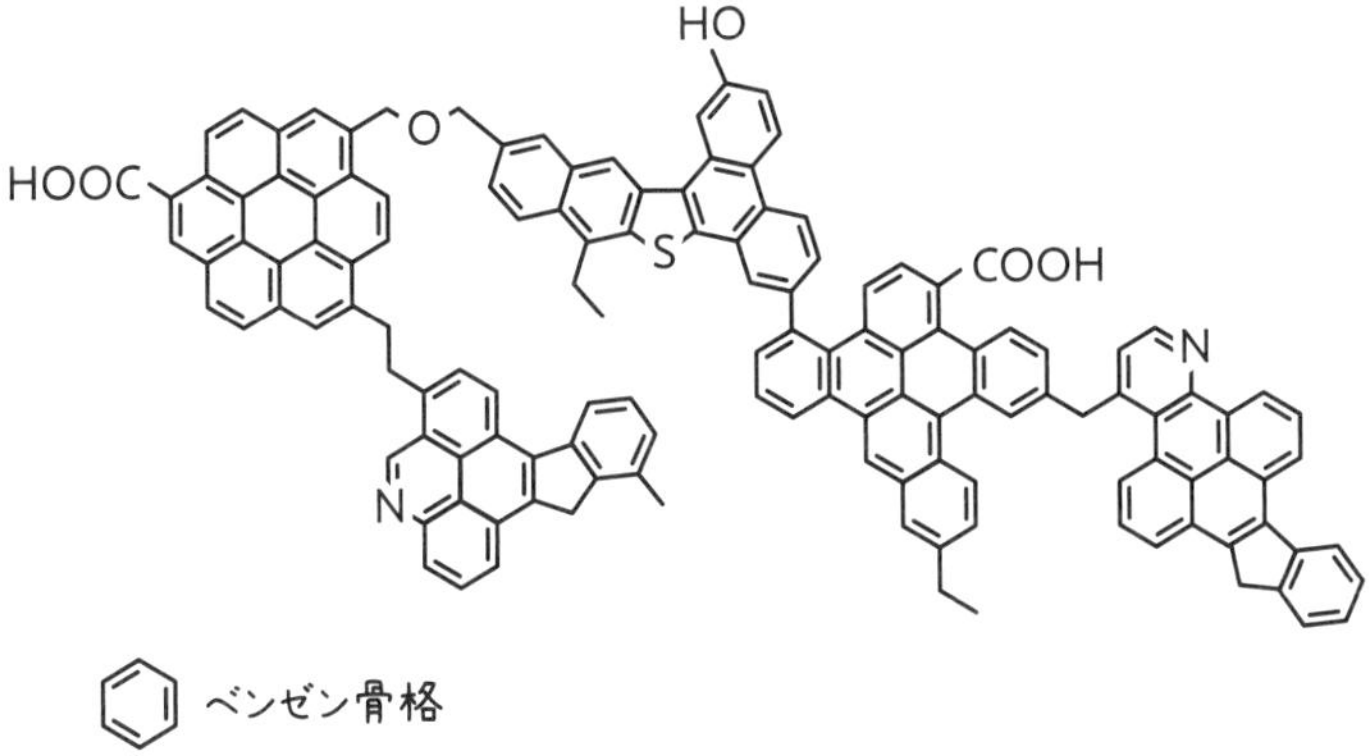

石炭の分子構造（ベンゼン骨格）

解されてできたと考えられています。

最初は泥のように水分を含んでいましたが、土中に永く埋もれている間に圧力と地熱によって水分が抜け、炭素含有量が増え、植物の成分である炭化水素が熱変性したものと考えられます。そのため、古い石炭ほど炭素含有量が高く、熱量も大きくなっています。

石炭は石油と同じように主成分は炭化水素（炭素＋水素）ですが、分子的な構造は石油とはずいぶん異なっています。すなわち、石油が一重結合だけでできた鎖状の化合物なのに対して、石炭は二重結合を含む環状の化合物からできています。つまり、上図のように六角形の中を見ると、一つおきに二重結合が入った単位構造（**ベンゼン骨格**）がふんだんに含まれています。

ベンゼンは有機物の中では特殊的に安定な構造であり、有機物は過酷な条件に遭遇すると、まずはベンゼン骨格に転移するという性質があります。植物を形づくっていた有機物が地熱、地圧という過酷な条件にさらされた時、まずはベンゼン系に転移したというのは、当然の選択であっただろうと思われます。

ここで石炭の分子量（重さ）に占める炭素の量をざっくり計算すると（ベンゼンで換算）92％となり、石油（85％）や天然ガス（75％）より多くなります。石炭が燃焼した場合、発生する二酸化炭素の量が非常に多い理由がこれでわかります。

さらに、石炭には窒素分や硫黄分を含んだ不純物の割合が他の化石燃料より多く、燃えた場合に出る窒素酸化物**NOx**（ノックス）や硫黄酸化物**SOx**（ソックス）も多い、すなわち排ガスが汚く、大気汚染につながることになるのです。

3

「石油の生成」にはいろいろな説がある

石油

炭化水素（C、H）を主な成分とした液状の油。精製前のものを原油という。石油の起源については諸説ある。

石油の産出と種類、そして用途は？

世界の油田地帯を見ると、最大のものはペルシア湾岸地域、すなわちサウジアラビア北東部からオマーンに、そしてイラクからイラン南部に至る区域で、ここに世界の確認石油埋蔵量約1兆7000億バレル（2017年末時点）の約60％が集中しています。

そして、原油の生産量は2019年のデータで見ると、1位アメリカ（7億4600万トン）、2位ロシア（5億6800万トン）、3位サウジアラビア（5億5600万トン）、以下、カナダ、イラク、中国と続きます。アメリカが多いのはシェールガス、シェールオイル（3章）の産出が多いからです。

名前	沸点(℃)	炭素数	用途
石油エーテル	30〜70	6	溶剤
ベンジン	30〜150	5〜7	溶剤
ガソリン	30〜250	5〜10	自動車、航空機燃料
灯油	170〜250	9〜15	自動車、航空機燃料
軽油	180〜350	10〜25	ディーゼル燃料
重油	―	―	ボイラー燃料
パラフィン	―	>20	潤滑剤
ポリエチレン	―	〜数千	プラスチック

石油の種類と用途

石油は地中の油田に溜まっています。ここに油井と呼ばれる井戸を掘り、そこから**原油**として汲み上げます。原油はドロッとした黒色の油状物、あるいはタール状の物質で、様々な有機物の混合物です。このような混合物から、私たちがよく知っているガソリンや灯油を得るためには、蒸留という操作が必要となります。

蒸留は、沸点の違う各種の液体の混合物を加熱し、分け取る技術です。原油を徐々に加熱していくと、沸点の低い成分から順に気体となって揮発していき、それを集めます。最後に沸点が非常に高くて揮発しない成分が容器に残ります。これが**ピッチ**です。ピッチは液体の石炭のような物で、ベンゼン骨格（59

ページの図）をふんだんに含みます。

最後に残ったピッチにも用途があり、アスファルトとして道路舗装などに使われています。また、高温の特殊処理を施して、航空機などに使われるピッチ系の**炭素繊維**の原料にもなります。炭素繊維はベンゼン骨格が蜂の巣のように並んだものですから、ベンゼン骨格の多いピッチは炭素繊維の原料として打ってつけだったのでしょう。

石油はどのようにして生まれた？

石油は石炭と同様、生物の遺骸が地熱と地圧によって変化してできたものといわれてきました。そのため、石油資源量は有限であり、可採埋蔵量は非常に短い（約50年。2017年末時点）と危機感を持っていわれるのですが、石油の成り立ちには諸説あり、埋蔵量にも影響してきます。順番に見ていきましょう。

●有機起源説

私たちが小学校の頃から教えられた「生物の遺骸が分解して石油ができた」という説です。今でも多くの人が疑うことなく、信じているでしょう。この**有機起源説**によれば、生

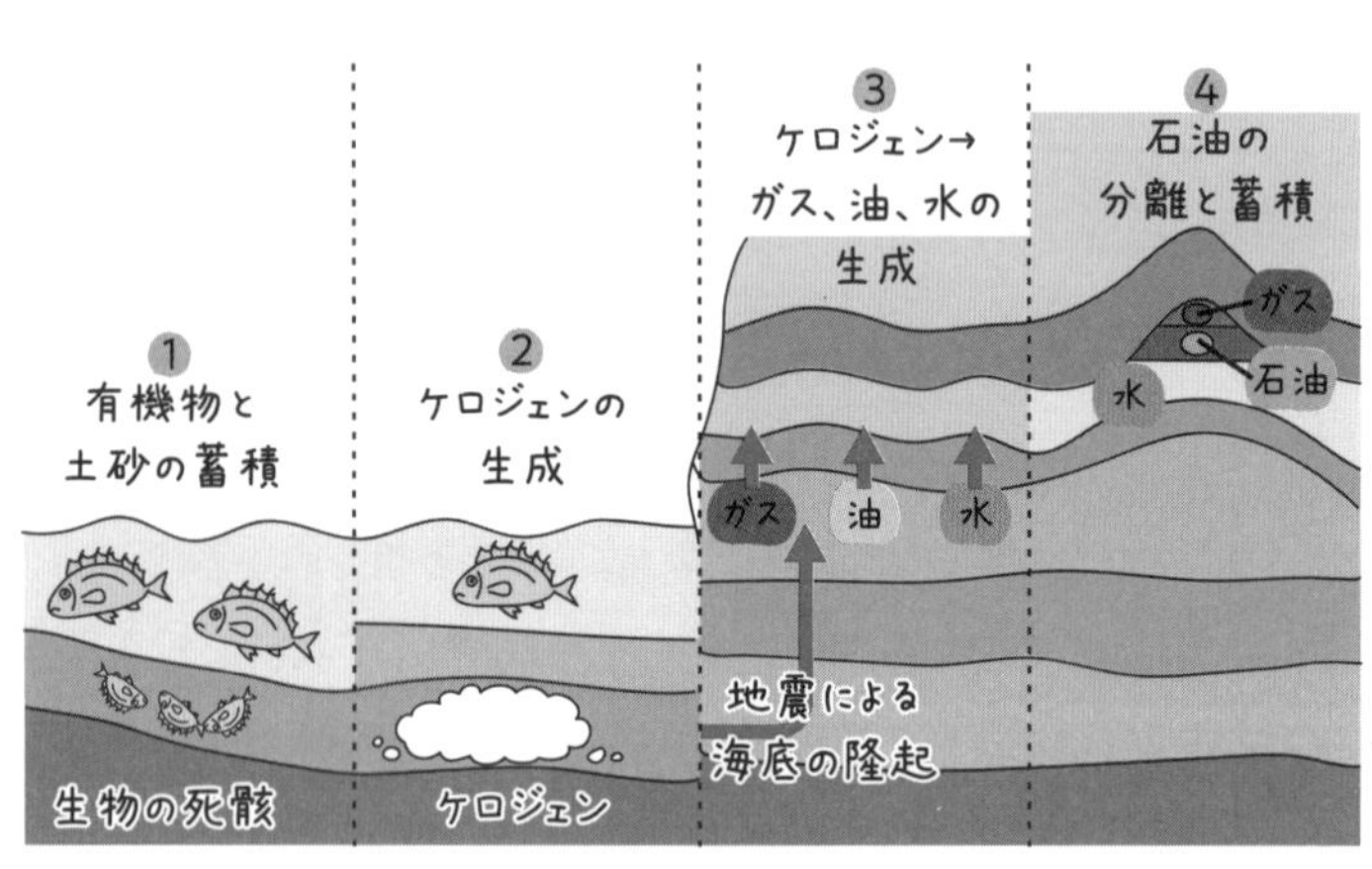

石油の有機起源説

物が死ぬと腐敗・化石化したり、あるいは地熱、地圧で分解されます。そして、微生物の遺骸が分解され、まずケロジェンといわれる物質となり、それがさらに分解されて石油や天然ガスになるといいます。

石油の成分にはバナジウムという金属成分が含まれますが、これは生物濃縮によるもので、有機起源説の根拠となっています。この説に従えば、石油の埋蔵量は「有限」ということになります。

●無機起源説

「石油は地中の化学反応によって発生する」と考えるのが**無機起源説**です。昔は、生命体を構成するタンパク質などの有機物は生命体

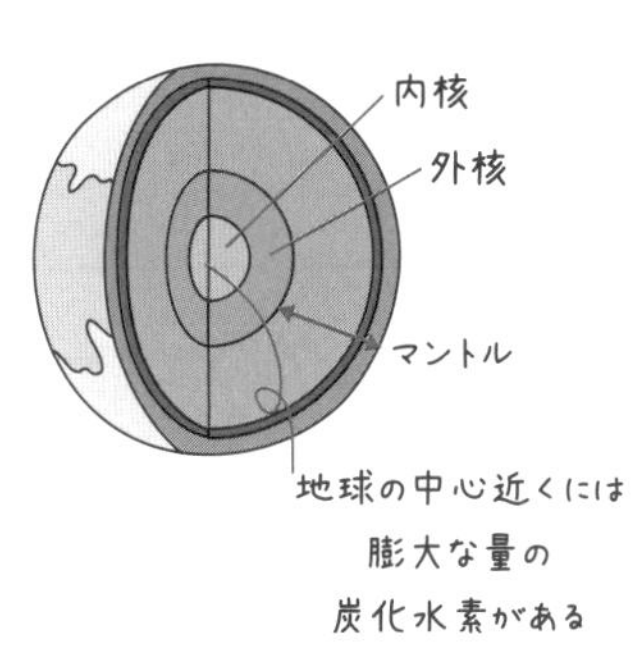

惑星ができる時、内部に大量の
炭化水素が閉じ込められる

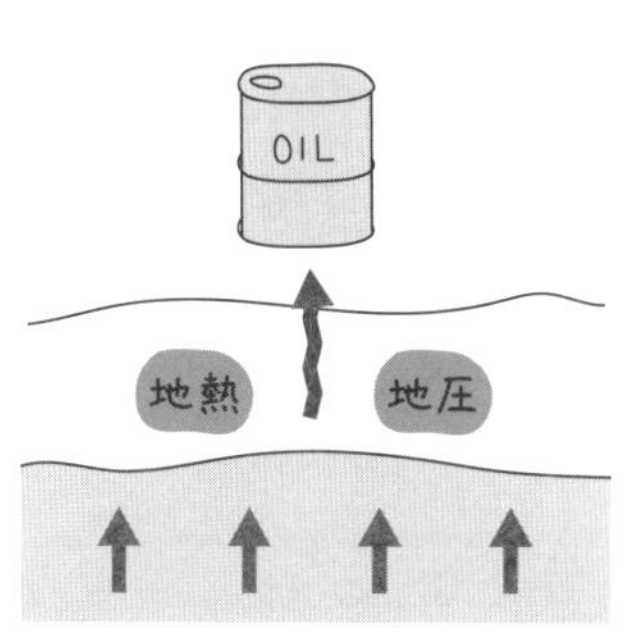

ゆっくり地表に浮かび上がり
その過程で地熱、地圧によって
変化して石油ができる

石油の惑星起源説

だけがつくると考えられていましたが、現在では、生命体以外の物質の化学反応からも有機物がつくられることが知られています。原油を採取し尽くして枯渇してしまった油田に、数年後に再び原油が現われるという現象が頻繁に見られることなどが無機起源説の論拠の一つとなっています。

無機起源説に従えば、石油はこの瞬間にも地中奥深くで生成されているので、資源量は無限です。中東諸国の経済的優位性は、「原油が有限」であることに依存していますので、無機起源説が正しいとなると優位性は消えます。学会は両論相半ばしているといいます。

●惑星起源説

これはアメリカの天文学者トーマス・ゴールド博士が2003年に提唱した、まったく新しい学説です（前ページ図参照）。惑星ができる時には、その内部に大量の炭化水素が閉じ込められるというのです。惑星である地球も例外ではなく、地球の中心近くには膨大な量の炭化水素があるといいます。これが比重の関係でゆっくりと地表に浮かび上がり、その過程で地熱、地圧によって変化したものが石油なのだという説です。

●細菌起源説

これも非常に新しい説で、しかも日本で発見された説です。静岡県の相良（さがら）油田では世界的にも稀である良質な原油が産出されることで有名です。この原油は精製しなくても内燃機関を動かすことができるほど、といいます。

1993年、京都大学の研究グループが、相良油田から石油を分解する特殊な菌を発見しました。そしてこの菌は、石油も酸素もない環境に置かれると、二酸化炭素を用いて細胞内に自ら原油をつくり出したのです。この時に生成された石油は相良油田産の軽質油と性質が酷似しており、相良油田が形成された一因と考えられることがわかりました。

石油を分解する細菌が発見された相良油田の手掘りの様子

つまり、細菌が二酸化炭素を原料として太陽光の光エネルギーを用いて石油をつくっていたのです。この菌の研究が進めば、将来的には工業的な石油醸造プラントでの人工的な石油の製造が可能になる可能性があります。

石油資源が乏しく、中東に頼る日本ですが、この細菌の利用技術によって、一気に原油輸出国（それも良質な原油）に大転換することも可能かもしれません。

天然ガスって、どんなもの？

天然ガス

天然に産する炭化水素のこと。微生物が地熱と地圧で分解したもの。

天然に産する気体の炭化水素を**天然ガス**（natural gas）といいます。成分の大部分は最小の有機化合物であるメタン（CH_4）であり、その他に少量のエタン（CH_3–CH_3）やプロパン（CH_3–CH_2–CH_3）などを含みます。

このように、天然ガスは分子中に占める炭素の割合が少ない（75％）ため、燃焼によって発生する二酸化炭素の割合が石油（炭素分、約85％）や石炭（分子構造をベンゼンとすると約92％）より少なくなります。また、窒素分も少なく、硫黄分はほとんどないため、NOx（ノックス）やSOx（ソックス）の発生量が少なく、環境に優しいといわれます。

家庭に届けられる都市ガスは、以前は石炭

から得る水性ガス（一酸化炭素と水素ガスの混合物）でしたが、現在では多くの都市で天然ガスが用いられています。

日本にも天然ガスがある？

天然ガスは世界中に広く分布しますが、特に旧ソ連や中東に多く存在します。可採埋蔵量は２０１８年時点で約１９７兆㎥あるとされ、可採年数は石油とほぼ同じ約50年です。天然ガスは日本にも存在し、関東地方だけでも埋蔵量は７３６０億㎥以上（可採埋蔵量は３６８５億㎥）あると推定され、埼玉・東京・神奈川・茨城・千葉の一都四県にまたがる地域で南関東ガス田を形成しています。

この地帯に天然ガスが存在することは古くから知られていたようです。たとえば、明治24年（１８９１年）、千葉県の大多喜町（おおたきまち）において醤油醸造業者が水井戸を掘ったところ、真水は出ず「泡を含んだ茶褐色を呈する塩水」ばかり湧き出るため、落胆して吸っていたタバコをこの泡へ投げ込むと、泡が青白い炎を上げて燃えあがり、居合わせた人たちが一同に驚いた、というものです。戦時中にはこのガスから人造石油をつくり、戦闘機の燃料にしたそうです。

南関東の天然ガス田

しかし、東京の直下にあるため現在では多くの地域で採掘は厳しく規制されており、房総半島でわずかに採掘されているのみです。東京都や千葉県では自然放出される天然ガスによって事故がたびたび起きています。そのため家の床下には土台にガスを逃すための窓を開ける家が多くなっているといいます。

天然ガスは不純物として、少量の窒素分を含みますが、硫黄分は含みません。そのため、燃焼してもNOxは発生しますが、SOxは発生しないので石炭や石油よりも環境に優しいということができるでしょう。

成分の割合は産地によって異なります。

どうやって気体の天然ガスを運ぶか？

天然ガスはガスですから、常温常圧（０℃、１気圧）の天然ガスはもちろん気体です。しかし、低温にするか、高圧にすると液体になります。温度をマイナス１６２℃にすると液体になり、体積はおよそ１／６００になります。

したがって日本に運搬する場合には、低温の液体にして液化天然ガス（Liquefied Natural Gas、ＬＮＧ）として専用のタンクローリーを用いることになります。もちろんその間もずっと冷却し続けなければならないので、輸送コストは天然ガスの大きなデメリットです。日本に到着したあとは、大口の輸送はＬＮＧとして液体用のパイプライン、あるいはタンクローリーで行ない、小口の輸送は各家庭に置くことができるように気体でのパイプライン輸送となります。

コラム　中華料理店はなぜプロパンガスを使う？

気体燃料は種類によって発熱量が違います。**都市ガス**（メタン CH_4）は火力が弱いので、プロの料理屋さんは都市ガスではなく**プロパンガス**（C_3H_8）を用いるといいます。どういうことでしょうか？

一般に気体は分子の種類に関わらず、同じ体積ならその中に入っている分子の個数も同じになります。これを「1モルの気体は標準状態で22・4Lを占める」と表現します。ここで**モル**という言葉が出てきました。これは「12個を1ダース」というのと同じで、6×10^{23}個の集団（アボガドロ定数という）をいいます。また、「標準状態」にもいろいろありますが、ここでは「0℃、1気圧」のことにします。

つまり、メタンでもプロパンでも、体積が同じなら同じ個数の分子が入っているのですが、メタンは CH_4 で、1分子中に「炭素が1個、水素が4個」が入っています。プロパンのほうは C_3H_8 なので、同じ1分子中に「炭素が3個、水素が8個」も入っています。原子数で比べればメタンの2・2倍です（化学式はこんな時に役立ちます）。

燃焼熱※はこれらの原子が燃えることによって発生します。炭素と水素では、本当は燃焼熱が違うので、原子数だけで単純比較できませんが、ざっくり考えてプロパンの燃焼熱は

※ある単位量の物質が完全燃焼した時に発生する熱量のこと

メタンの2・2倍と考えていいでしょう。

実際に測定すると、1㎥の気体を燃焼して発生する熱量は、都市ガス（メタン）が9600kcal、プロパンガスが2万4000kcal、ブタンガス（C_4H_{10}）が3万1000kcalと、プロパンはメタンの2・5倍も発熱量が大きいのです。原子数の大きいブタンガス（ガスライターの燃料）はさらに大きな発熱量を持っています。

このため、中華料理店など大きな火力が必要な店ではプロパンを使うようです。しかし、一般家庭で使うガス器具ではガスの出る孔の直径を操作して、単位燃焼時間の発熱量が都市ガスもプロパンガスも同じになるようにしてあります。

ただし、都市ガスにプロパンガスを混ぜるところもありますし、マンションによってはプロパンガスを供給しているところもあります。このような場合、都市ガス用のガス器具でプロパンを使うとガスが出過ぎて高温になり、危険です。引っ越しの際は要注意ですね。

化石燃料のコストと問題点

SOx（ソックス）、NOx（ノックス）

大気汚染や酸性雨などの原因の一つとなる有毒物質（硫黄酸化物＝SOx、窒素酸化物＝NOx）のこと。化学式SO、SO_2、SO_3…、NO、NO_2、NO_3…などからSOx、NOxと表記されることが多い。

海外依存度の高さと価格変動のリスク

２０１８年の日本のエネルギー自給率はわずか11・８％で、他のＯＥＣＤ（経済協力開発機構）加盟諸国と比較すると明らかに低い水準です。エネルギー自給率が低いと、資源を他国に依存しなければならず、国際情勢の影響などを受けてエネルギーを安定確保することが難しくなります。

とりわけ日本は、エネルギーを石油・石炭・ＬＮＧ（液化天然ガス）などの化石燃料に大きく依存しています。２０１１年に起こった東日本大震災の前年、化石燃料への依存度は81・２％でしたが、原子力発電所の稼働停止にともなう電力不足を火力発電で補ったことから、２０１７年は87・４％まで増加しています。

問題はそれだけではありません。2018年の化石燃料の海外依存度は、石油99・7%、石炭99・3%、LNG（液化天然ガス）97・5%となっており、ほぼ完全に輸入に頼っている状態です。それぞれの輸入先を見ると（次ページ図参照）、一次エネルギーの4割が石油で、原油輸入の約88%（9割）を政情不安定な中東地域に依存しているのです。石炭はオーストラリア一国への依存度が高くなっています。LNGについては、オーストラリアのほか、アジア、ロシア、中東など多様な地域から調達しています。

原油価格は需要と供給のバランスによって常に変動します。原油需要の増加に供給が追いつかなければ価格は上がり、その逆であれば価格は下がります。原油価格は1986年に急落して以来、1990年代にかけては安定した価格が続いていました。しかし、2000年代は中国やインドなど新興国の石油需要の増大や、主要産油国である中東地域の政情不安、さらに短期的な価格変動に着目した投機資金の大量流入などにより、原油価格は大幅に変動しています。

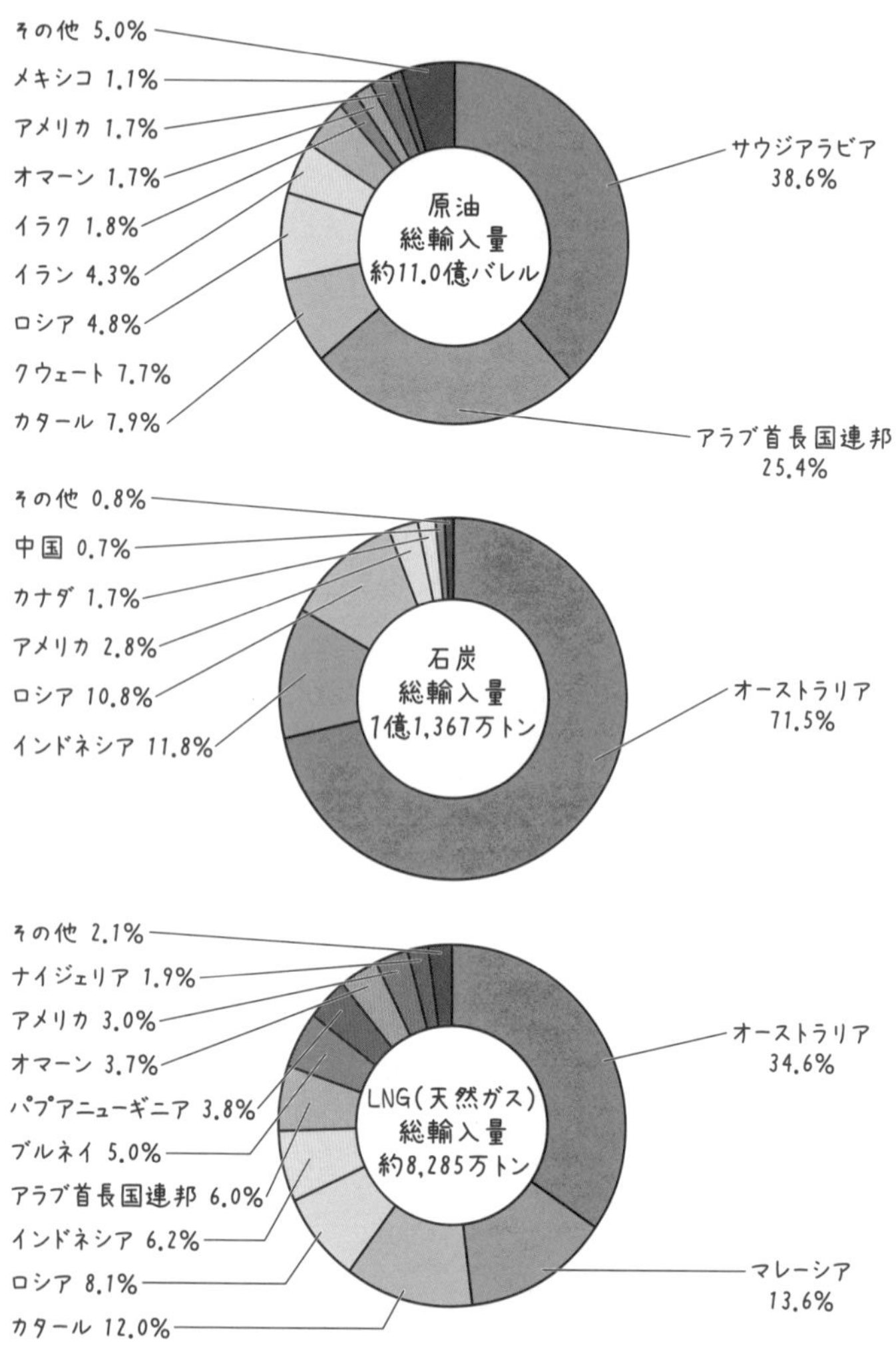

日本の原油、石炭、LNGの輸入量(2018年)

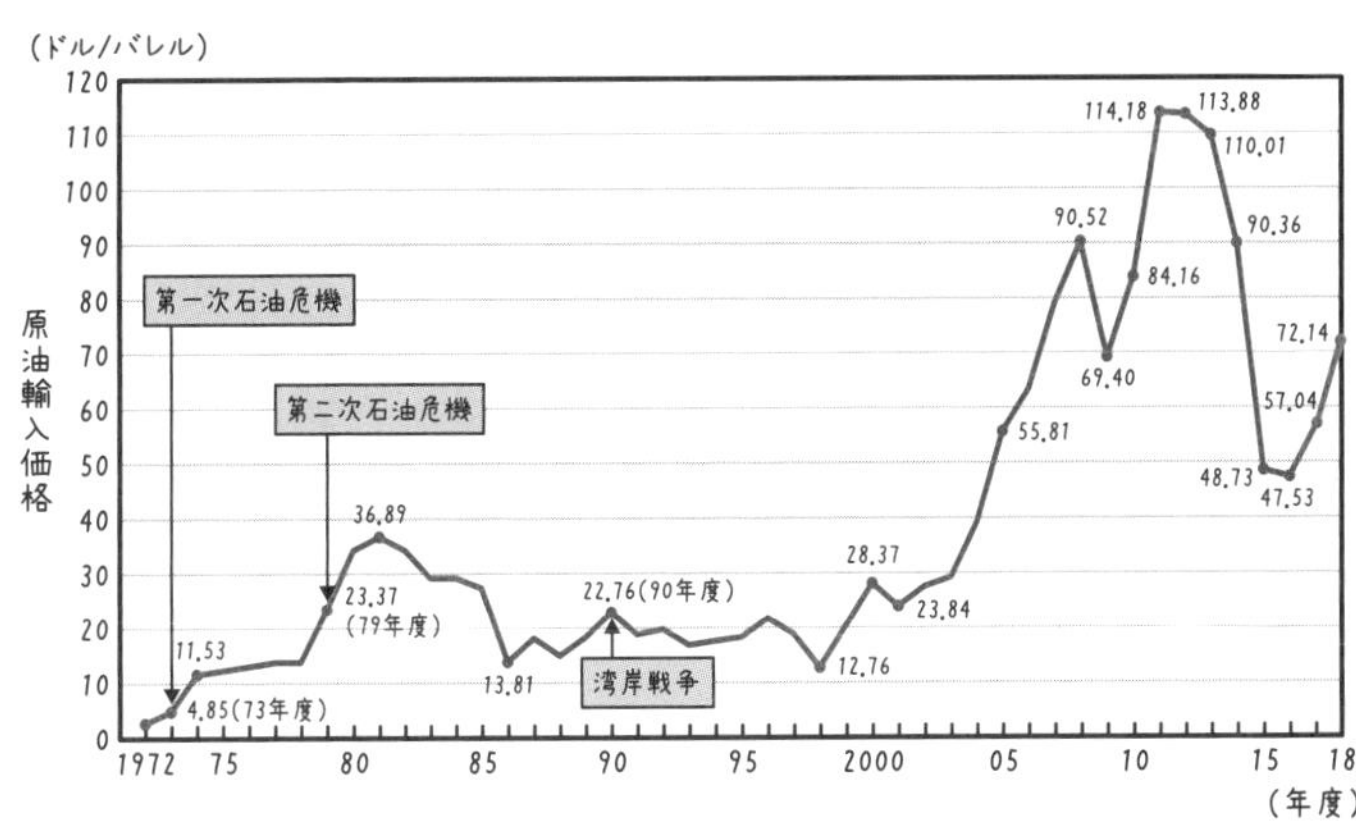

原油の輸入価格の推移

出所:原子力・エネルギー図面集2019

さらにアメリカを中心に開発されたシェールガス、シェールオイルの供給による値下がり要因、それを供給する新興エネルギー会社を価格競争でつぶそうとする動きなどが複雑に絡んで、先の動きが読めない状態になっています（上図参照）。

なぜ、二酸化炭素だけが叩かれるのか？

化石燃料を燃やすと二酸化炭素が発生し、地球温暖化が進展するといいます。地球には太陽熱が降り注ぎますが、その熱は宇宙空間に放射され、地球に溜まることはありません。だから地球は恒温でいられるのです。もし、熱を溜め込んだら、地球の温度は上がり続けます。

そして、二酸化炭素などの**温室効果ガス**と呼ばれるものは熱を溜め込む性質があります。そのため、「地球大気中の二酸化炭素濃度が上がると、地球の温度が上がる」という相関関係があります。

気体が熱を溜め込む能力は**地球温暖化係数**という数値で表わされます。それによると二酸化炭素は標準物質なので1ですが、天然ガスの主成分であるメタンは26、オゾンホールの原因といわれるフロンに至っては数千から1万を超えます。二酸化炭素の効果など、たかが知れているように見えますが、なぜ二酸化炭素だけが槍玉にあげられるのでしょうか?

それは二酸化炭素の発生量にあります。石油が燃えると二酸化炭素がどれだけ発生するか、簡単な計算で求めてみましょう。先に見たように石油の構造はCH_2の単位がいくつか並んだものです。このCH_2単位が1個燃焼すると、1個の二酸化炭素（CO_2）と1個の水（H_2O）になります。つまり、n個のCH_2単位が並んだ石油が燃えると、n個の二酸化炭素が発生することになるのです。

分子量を計算すると、CH_2単位の総体的重さは$12 + 1 \times 2 = 14$です。一方、CO_2は

12＋16×2＝44です。これは、「重さ14×n個の石油が燃えると、重さ44×n個の二酸化炭素が発生する」ことを意味します。すなわち、燃えた石油の約3倍もの重さの二酸化炭素が発生するのです。10万トンタンカー1隻分の重油が燃えると、30万トンの二酸化炭素が発生する計算です。

SOx、NOxとは何のこと？

また、石油、石炭には不純物として硫黄化合物（S）や窒素化合物（N）が含まれています。硫黄化合物が燃焼すると、SOやSO_2など各種の硫黄酸化物が発生します。硫黄酸化物の種類は多いので、これらをまとめてx個の酸素Oと結合した硫黄Sという意味で、**SOx**と書き、「**ソックス**」と読むことになっています。まったく同様に、窒素酸化物は**NOx**と書き、「**ノックス**」と読みます。

問題はSOx、NOxは酸性物質であるということです。SOxは水（雨）に溶けると硫酸をはじめとした強い酸になり、NOxは硝酸などの強酸になります。つまり、これらは酸性雨の原因になるのです。**酸性雨**は屋外の銅像など、金属を錆びさせるという害の他に、植物を枯らすという害があります。山の植物が枯れたら山は保水力を失い、洪水が頻発し

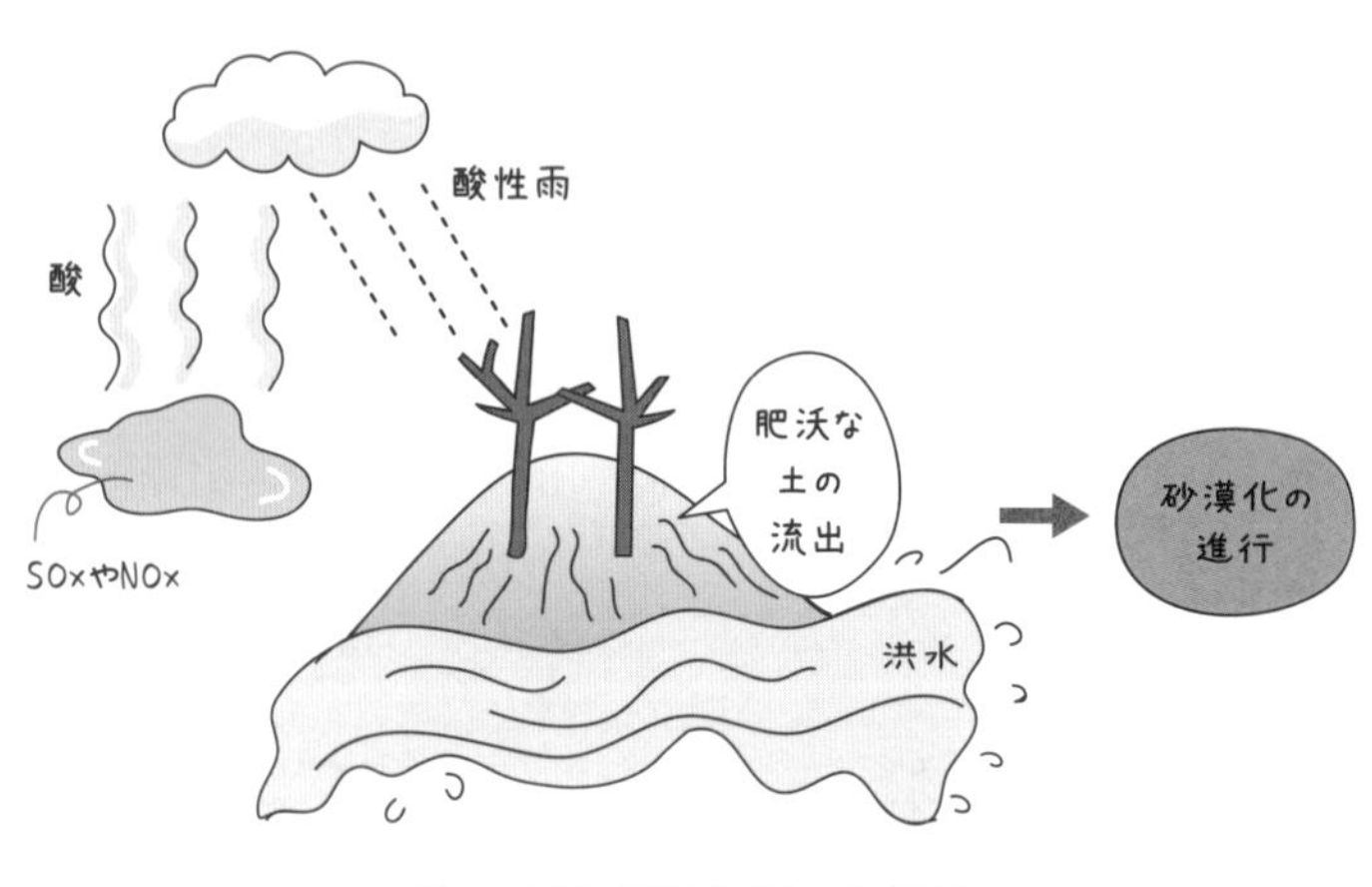

SOx、NOxが引き起こす問題

ます。この結果、山の表面の肥沃な土は流し去られ、山には二度と植物が生えなくなります。つまり、地球上に砂漠化が進行するのです。

中でもこれら有害気体を多く発生するのが石炭です。石炭はその構造（59ページの図）を見ればわかる通り、分子構造に占める水素の割合が非常に少ない物質です。つまり、石炭の燃焼エネルギーの大部分は炭素の燃焼によるものであり、それだけ多くの二酸化炭素を放出します。また石炭には硫黄分、窒素分の割合も高く、これらも燃焼してSOx、NOxを発生します。

産業革命当時のイギリスでは、大量の石炭を燃焼したため排煙が街中に立ち込め、住人は重い呼吸障害に陥りました。１９０５年頃からこの排煙はsmoke（煙）とfog（霧）の造語の**スモッグ**と呼ばれ、１９５２年12月にはロンドンで大スモッグが発生し、なんと１万人もの人が亡くなりました。原因は暖房や工業に使った石炭から発生したSOxで、強い酸性の霧が発生し、その酸性度はpH2に達したといいます。

日本でも１９７０年代に三重県四日市市で四日市ぜんそくと呼ばれる公害が発生しましたが、原因は主にSOxでした。そこで解決策として採用されたのが**石油脱硫装置**です。これは燃やす前の石油から硫黄分を除くタイプと、燃やしたあとの排気ガスから除くタイプの二種があり、そのおかげで公害は終息しました。

この脱硫装置が普及した背景には、公害をなくそうという善意の努力だけでなく、経済的な問題があったといわれます。硫黄は化学産業にとって重要な原料です。通常ならばお金を出して硫黄鉱山から買わなければならないところが、脱硫装置を設置すれば自前で石油から硫黄を得ることができるのです。つまり、脱硫装置の設置費用が硫黄買収費用で賄われたのです。経済的インセンティブが企業を公害撲滅に導く効果があった、ということでしょうか。

第3章

21世紀に登場した「新しい化石燃料」

1

ニュージェネレーションの化石燃料

新世代の化石燃料

オイルシェール、オイルサンド、メタンハイドレート、コールベッドメタンなど、主に「石炭、石油、天然ガス」などから派生した化石燃料のこと。

これまで見てきたように、現代社会はエネルギーで成り立っています。その大部分は電気エネルギーであり、さらにその電気エネルギーの大部分は石炭、石油、天然ガスという、三種の化石燃料によって発生しています。

感謝すべき化石燃料

石炭、石油、天然ガスは現代エネルギーを担う「三種の神器」ともいうべき存在ですが、この三種の神器にも陰りが見えてきました。現在の消費ペースでいくと、あと数十年から百数十年で使い切ってしまいそうなのです。

ただ、エネルギーは化石燃料だけではありません。原子力、水力、風力、潮力、波浪（はろう）、地熱といろいろあります。

徐々に他のエネルギーにシフトしなければならないとしても、化石燃料にも、もう少し頑張ってもらいたいものです。用途は燃料だけではありません。住居、衣服、食料、医薬品、人類は多くを有機物で用意しています。有機物は炭素化合物です。そして、炭素化合物の資源は化石燃料です。人類にとって、化石燃料は欠くことのできない資源なのです。

新しい化石燃料

三種の化石燃料以外の「新世代化石燃料」ともいうべき、新しい化石燃料が登場しつつあります。石炭には、完全に石炭になったもの、石炭になりかかっているもの、あるいはその中間物など、いろいろの進行度のものがあります。

しかし、石油と天然ガスには完全に製品として完成したものしかありませんでした。考えてみれば、これは変な話です。石炭と同様、完成した石油、石油になりかかっているもの、その中間物などがあるのが当然ではないでしょうか？　そして、あったのです。それがオイルシェール、オイルサンドなどと呼ばれるものです。これらは未完成石油や、完成して揮発性成分が飛んでしまった石油です。

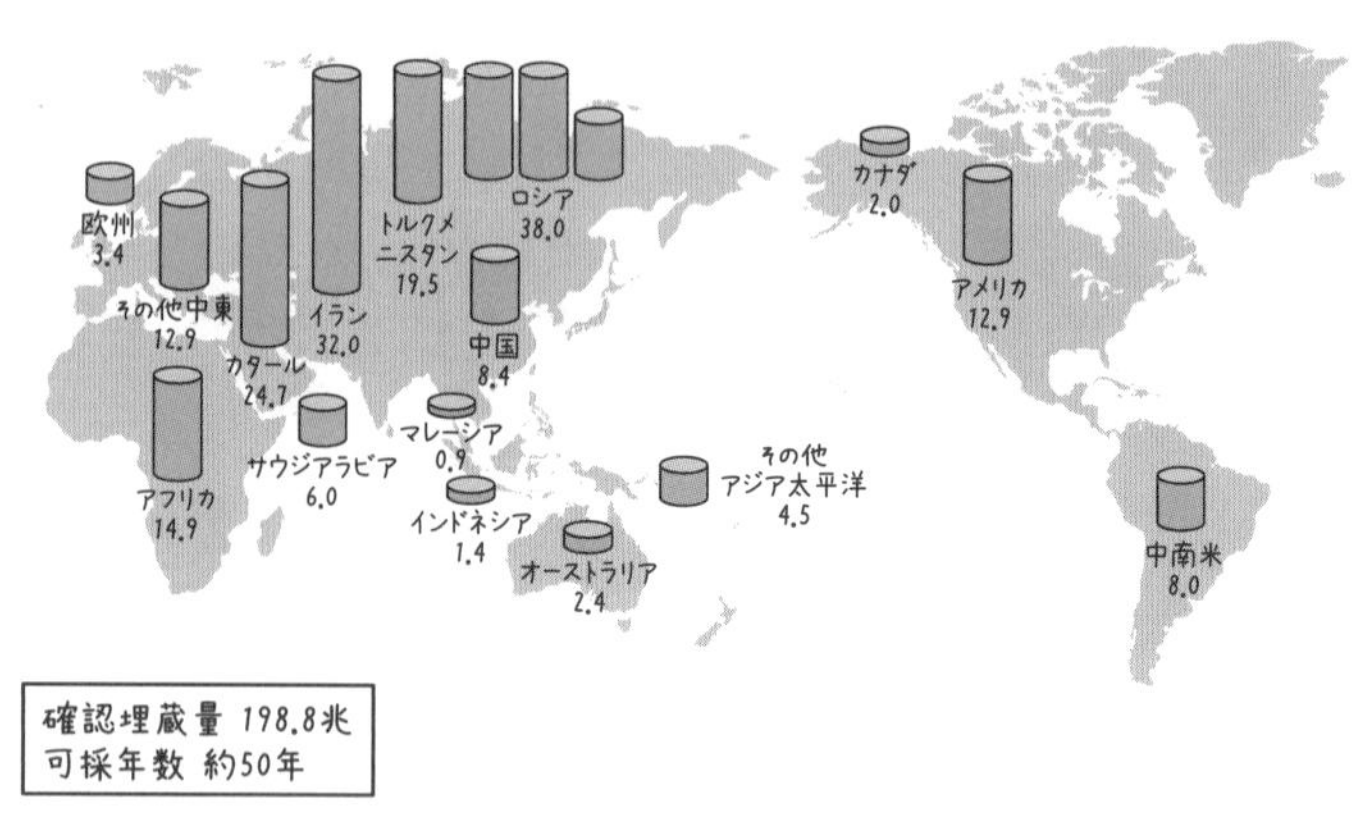

天然ガスの確認埋蔵量（2020年）

出所：BP Statistical Review of World Energy 2020

それに対して、天然ガスになるべき微生物は小さいので分解も速いようで、途中段階のものはほとんど発見されていません。それでも分解途中の微生物遺骸が堆積岩の中に見つかっているようですから、いずれこれらを人為的に分解して天然ガスとして完成させて採掘するような試みが行なわれるかもしれません。

完成した天然ガスとしては、地中に存在するほか、海水中に滲(にじ)み出して水と反応した**メタンハイドレート**が発見されています。もしかしたら、地球上にはまだまだ新しい、知られていない形の化石燃料が埋まっているのかもしれません。期待が膨らみますね。

中東産油国を脅かす シェールガス

シェールガス

シェール層(頁岩層)から採取される天然ガス。米国の天然ガス価格を1/3にしたという意味で画期的。

シェールガスは岩に吸着されたガス

三種の化石燃料の一角を脅かす勢いになっている一つが、**シェールガス**です。シェールガスの「シェール」はシェル(貝殻)ではなく、岩石の一種の名前です。日本語でいうと頁岩(けつがん)となります。よく、「頁」という漢字は「ページ」とも読まれますが、「頁岩」を「ページ岩」と呼んでもおかしくありません。というのは、頁岩は細かい粘土が薄い「層状」に堆積したものだからです。そのため、本のページ(頁)のように、岩石が一枚ずつ薄い層になって剥がれるのです。

頁岩は粘土が積もったものですから、積もる過程で植物や動物の遺骸が挟み込まれることがあります。そのため、頁岩からは植物、魚類、動物など、多くの生物の化石が発見されます。また頁岩は隙間が多く、多孔質でもあるのでいろいろな物質が吸着されます。ということで、挟み込まれた遺骸が分解されて石油となり、さらに分解されて気体のガスとなって頁岩に吸着されるのは自然のなりゆきです。このようにしてできたのがシェールガスであり、あとに見る**シェールオイル**ということになります。

このため、シェールガスの成分は天然ガスとまったく同じで、主成分はメタン、微量成分としてエタン、プロパンなどを含みます。つまり、シェールガスは化学的（成分的）には2章で見た天然ガスとまったく同じものであり、違いは存在する場所と存在状態だけ、ということになります。

地下の岩石層を砕いて採取するシェールガス

天然ガスと同じものとして将来に明るい展望を持つシェールガスですが、問題もあります。それは「採取が困難」ということです。というのは、シェールガスを含む頁岩層は地下2000～3000mという非常に深いところにあるからです。このため、シェールガスの存在は以前から知られていたものの、放置されていたのでした。

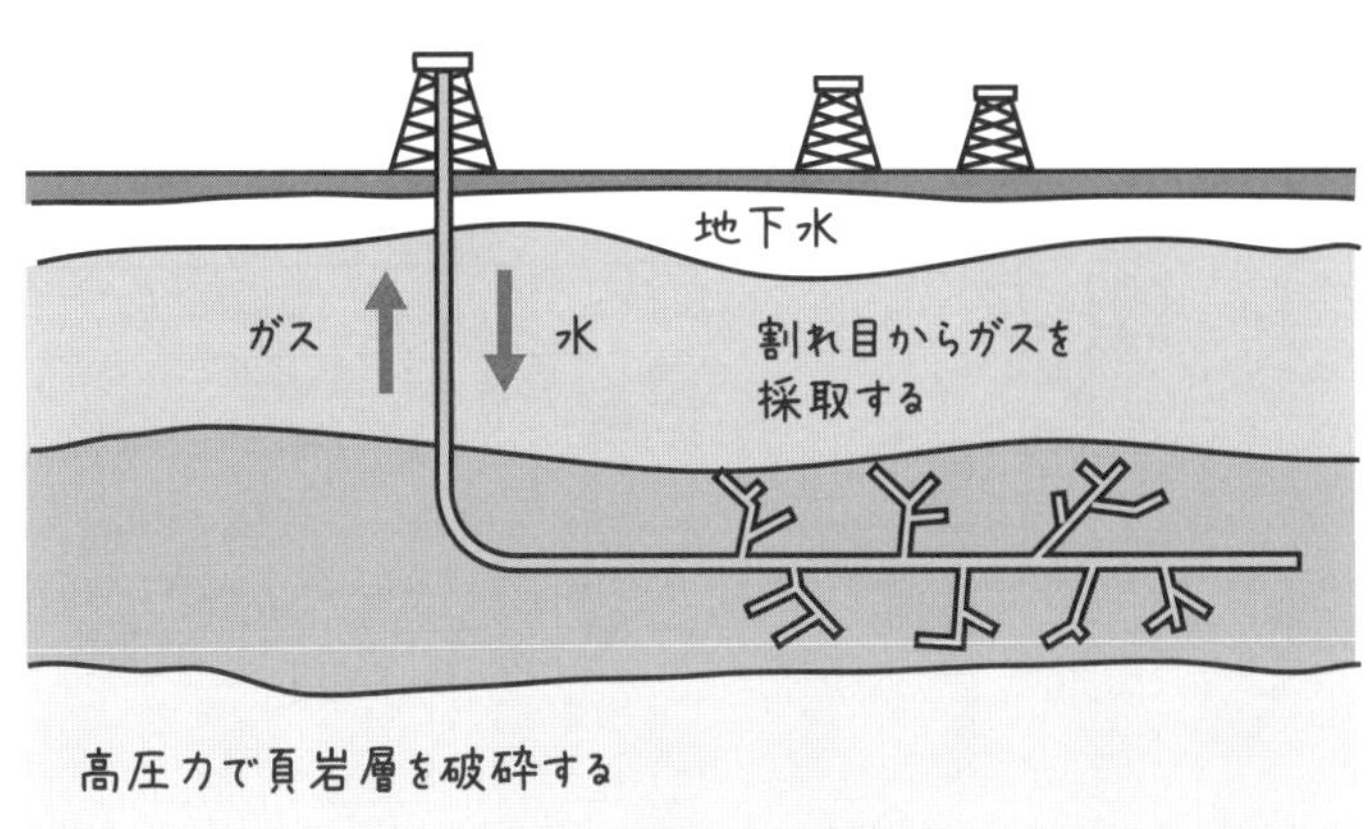

シェールガスの採掘方法

ところが、今世紀に入ってからアメリカで画期的な採掘法が開発されました。それが**斜坑法**といわれるもので、シェールガスを含む頁岩層まで垂直の坑道を掘り、頁岩層に達したところで層に沿って斜めに掘り進むという方法です。

しかし、シェールガスは頁岩に吸着されています。従来のガス油田と違い、穴をあけたからといってガスが噴き出すようにラクに取れません。シェールガスを頁岩から放出させるためには、頁岩を砕かなければなりません。そこで、坑道から化学薬品混じりの高圧水を大量に坑道内に噴射し、頁岩を粉々に破砕してガスを放出させるのです。この高圧水は海岸近くなら海水、内陸部なら井戸を掘って地

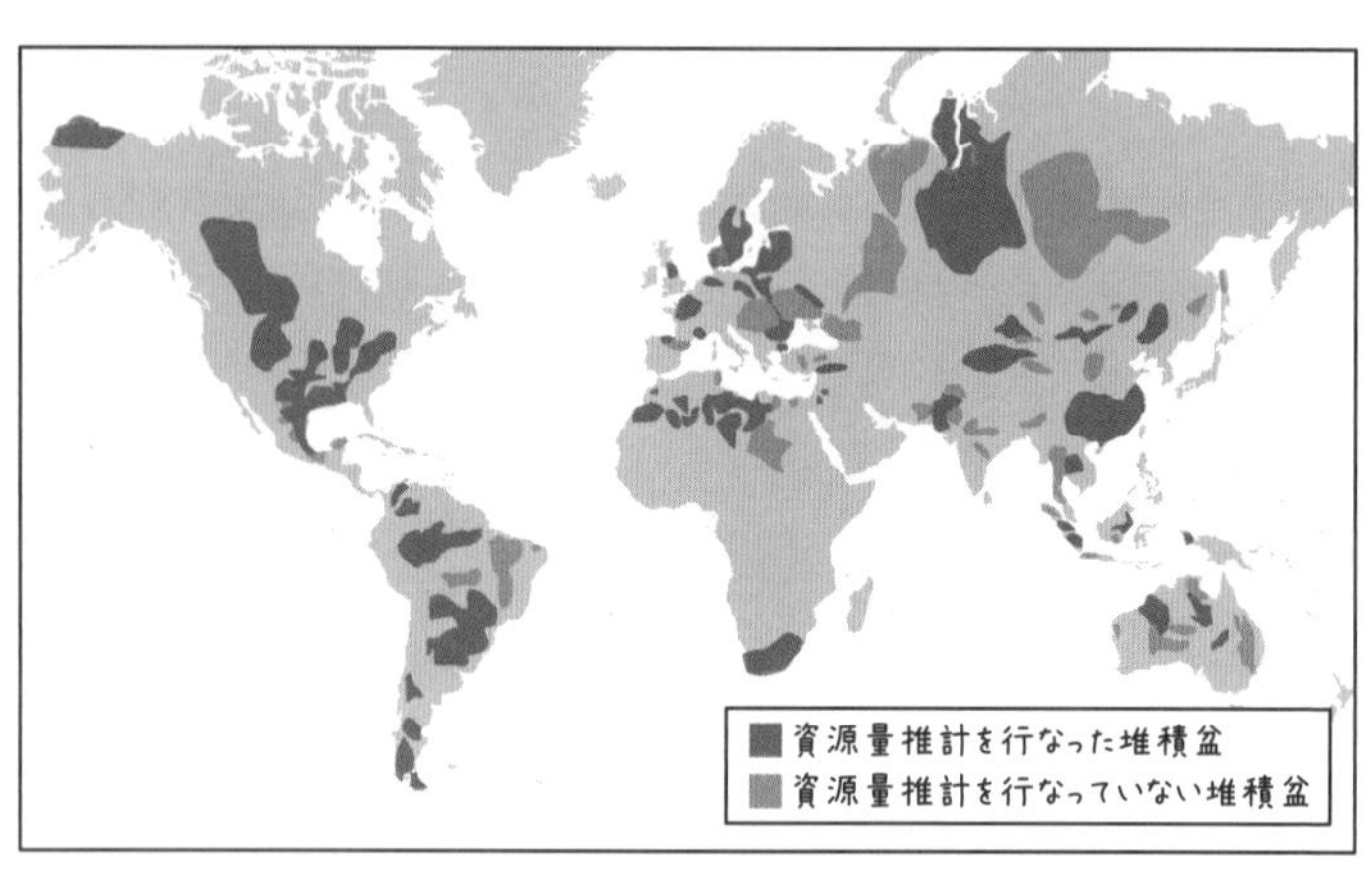

シェールガスの分布

出所:米国エネルギー情報局(EIA)

下水を汲み上げて用います。

シェールガスの可採埋蔵量は247兆㎥(日本ガス協会)であり、天然ガスの197・1兆㎥をはるかに超えています。その上、シェールガスは世界中に広く分布しています。シェールガスの探索の歴史はまだまだ浅いので、今後さらに新しい埋蔵地が見つかる可能性は高いと思われます。つまり、シェールガスの可採埋蔵量は今後さらに伸びる可能性が高いのです。ただ残念なことに、地層の新しい日本で発見される可能性は低いとされています。

シェールガスは環境問題にも大きな影響を与えています。採掘法を見ればわかる通り、この方法は地下の頁岩層を破壊し、その代わりに化学薬品混じりの水を注入するものです。しかも、その水は近隣の地下から汲み上げます。これでは、それまで平衡を保っていた地下水量の分布に激変が起こるのは当然です。小規模な地震が起こる採掘地帯さえあるようです。また、井戸水に火をつけると燃え上がる、という地域さえ出てきました。井戸水にガスが混じってしまったのです。

しかも、シェールガスは気体や液体のような流動状態で存在するわけではありません。坑道を掘って採掘しても、砕けた岩の範囲に存在したガスが手に入るだけです。石油や天然ガスのように、一箇所をボーリングすれば、その油田の石油すべてをそこから汲み上げることができるというわけではありません。掘った斜坑周辺のガスを採取したら、それで終わりです。そのため、1本の坑道の寿命は数年、短ければ1年といわれます。つまりシェールガスは、次々と新しい坑道を掘り続けなければならない宿命を背負っているのです。これでは地層がもちません。

このようなことから、フランスのように国内にシェールガスが存在することがわかっていても採掘を許可しない国もあるようです。賢明な策といえるのかもしれません。今後、続く国が出てくるかもしれませんね。

石炭層から生まれるコールベッドメタン

コールベッドメタン

石炭鉱床に浸透した天然ガス(炭層メタン)のこと。

コールベッドメタン（CBM、炭層メタン）、聞き慣れない言葉かもしれませんが、「コール」は石炭のこと、「コールベッド」は炭床（炭鉱）のことです。つまり、「地中の石炭層に吸着されたメタンガス」のことをコールベッドメタンというのです。いわば、シェールガスの「頁岩」を「石炭」に置き換えたものと考えてよいでしょう。しかも、シェール層とは違って炭層は地下の浅いところにあるので、シェールガスの採掘とは比較にならないほど簡単です。

石炭は炭素の塊であり、木炭と同じようにたくさんの細孔、隙間があり、そこに気体や液体を吸着します。そして、石炭層はメタンガス（天然ガス）を吸着することがあります。

このようにして吸着されたメタンがコールベッドメタンです。

コールベッドメタンが存在するのは、新規に発見された炭鉱、あるいは現役の炭鉱ばかりではありません。石炭を掘り尽くしてしまった廃坑でも、残った石炭や近くの地層にメタンガスが残っているといいます。当然、コールベッドメタンは日本の炭田地帯にも存在し、その推定埋蔵量は日本の天然ガスの可採埋蔵量に匹敵するとのことです。

二酸化炭素を採取に有効活用できる

コールベッドメタンを採取するには置換法を用います。つまり、石炭層にボーリングで縦穴を掘り、そこに窒素ガスなど化学反応性の乏しい、一般に**不活性ガス**といわれる気体を注入するのです。すると、石炭に吸着していたメタンガスと不活性ガスが置き換えられ、不活性ガスが石炭に吸着されて、代わりにメタンガスが出てくるのです。

うれしいことに、不活性ガスに窒素ガスや二酸化炭素を使うことができるのです。つまり、1本のボーリングの穴から二酸化炭素を吹き込むと、別の穴からメタンガスが噴き出すわけです。しかも、石炭に対する吸着能力の違いから、二酸化炭素1分子が吸着すると

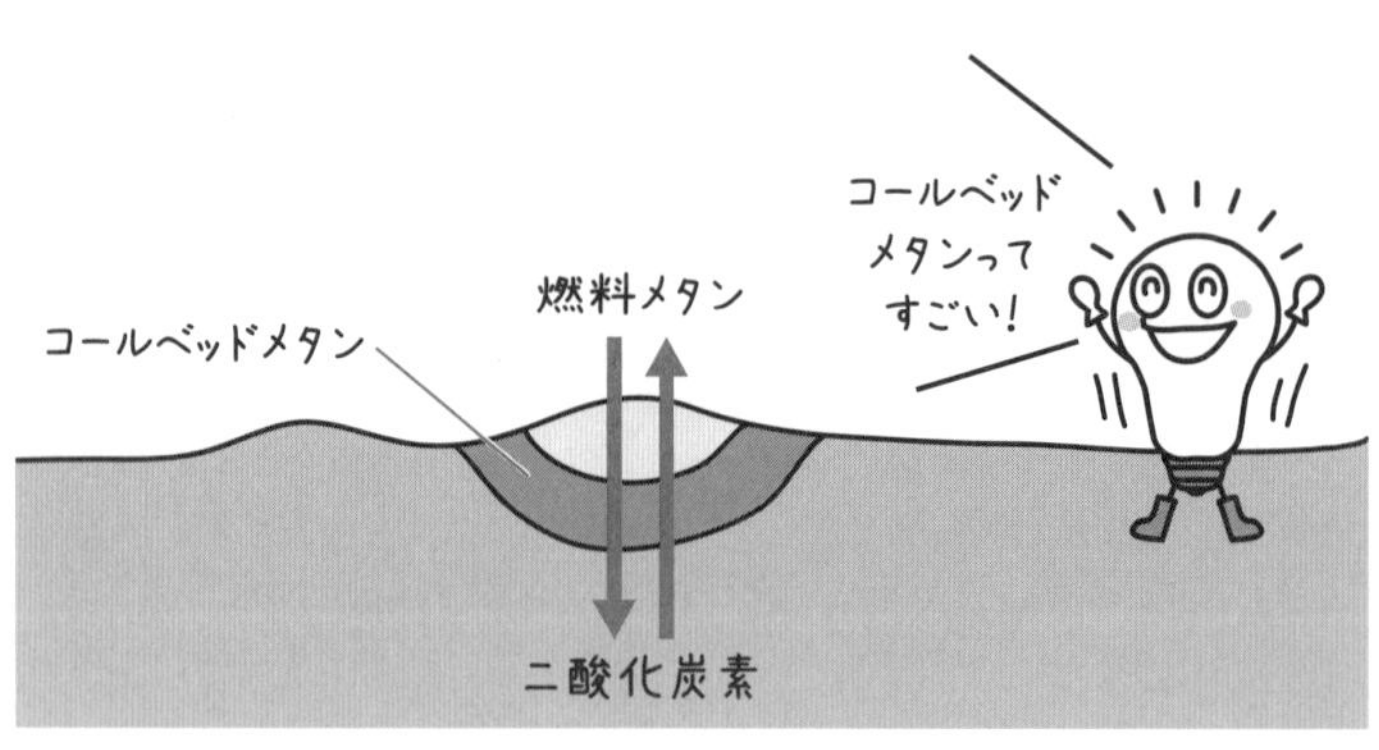

コールベッドメタンの可能性

メタン2分子が外れるといいますから、ありがたいことです。

これを利用したら、地球温暖化の原因物質として嫌われている二酸化炭素を地中に閉じ込め、代わりに有用な燃料メタンを入手できるわけです。アメリカのニューメキシコ州などでは商業生産が行なわれているといいます。日本でも北海道の夕張炭鉱など、いくつかの有望な炭鉱の存在が知られており、試験採掘が行なわれています。

現在考えられている利用法の一つは、炭田地帯に天然ガス火力発電所を建設することです。燃料は地下から得たコールベッドメタンを用います。そして、コールベッドメタンを

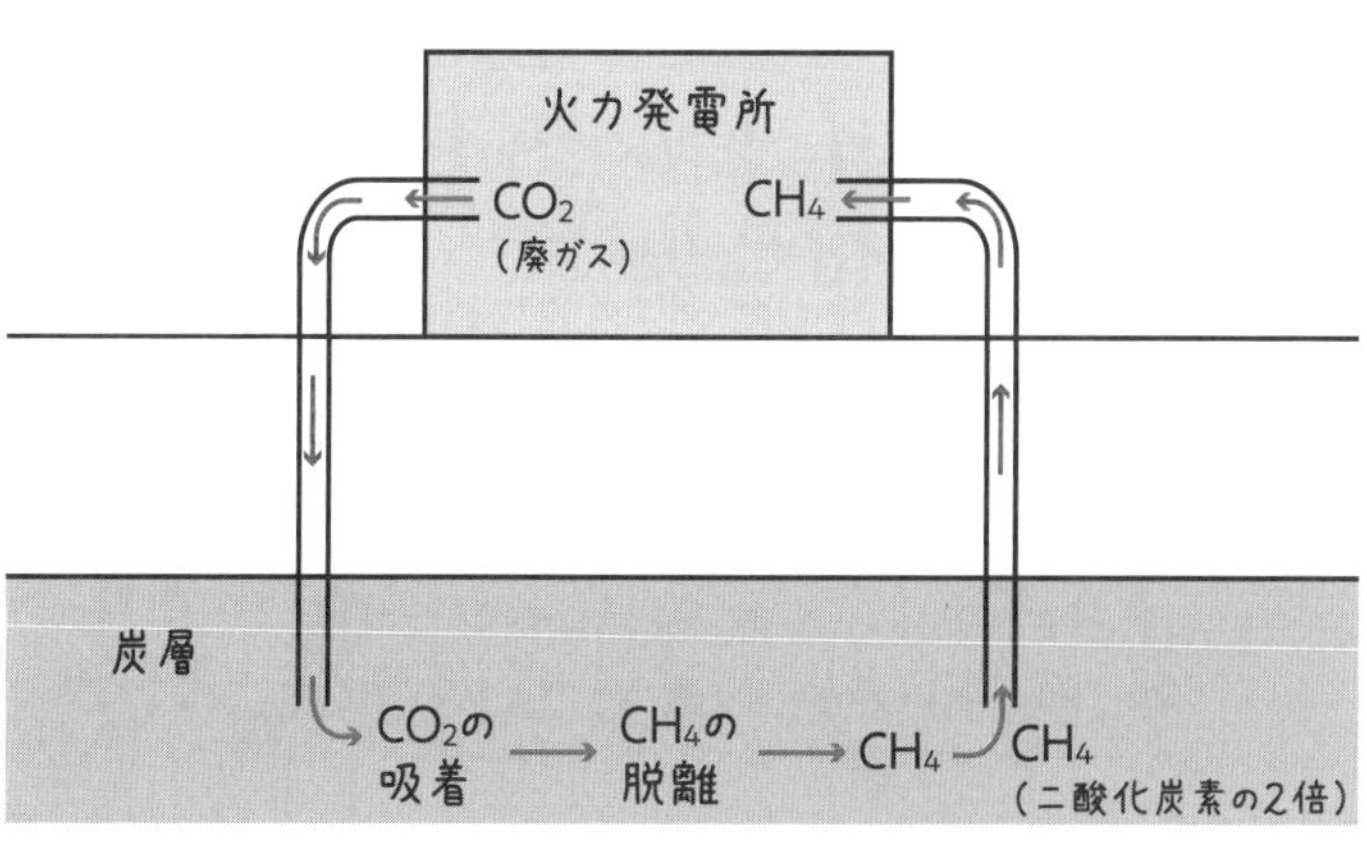

コールベッドメタンの回収方法

燃焼して発生した二酸化炭素を炭層に送り込むのです。そうすれば、二酸化炭素の実質的な発生なしに火力発電を行なうことができます。日本が2050年までに達成しようとしているカーボンニュートラル政策の申し子のようなものです。

2章3節でも紹介したように、もし、この二酸化炭素を地下の微生物が石油に換えてくれる、などということが起こると、エネルギー問題も解決へと進む可能性があります。一時のペニシリンなど抗生物質探しの時のように、また微生物探索ブームが始まるかもしれませんね。

メタンハイドレートは日本の救世主か？

メタンハイドレート

メタン分子が低温・高圧下で水の分子に囲まれた、「メタンと水」の結合体。日本近海に大量に埋蔵されている。

メタンハイドレートは真っ白で冷たく、シャーベットのような固体です。これをスプーンにすくってマッチの炎を近づけると、なんとシャーベットが青白い炎を上げて燃えるのです。燃えてしまったあとには、灰も何も残りません。

「メタンハイドレート」は「ハイドレート」した「メタン」という意味です。メタンは天然ガスでお馴染みのガス（気体）であるCH_4です。それがシャーベットのような固体になったのが、メタンハイドレートなのです。なぜ、気体が固体になったのでしょうか？　そのカギは「ハイドレート」にあります。「ハイドレート」とは日本語でいえば「水和（すいわ）」、簡単にいえば水と結合するというような意味です。

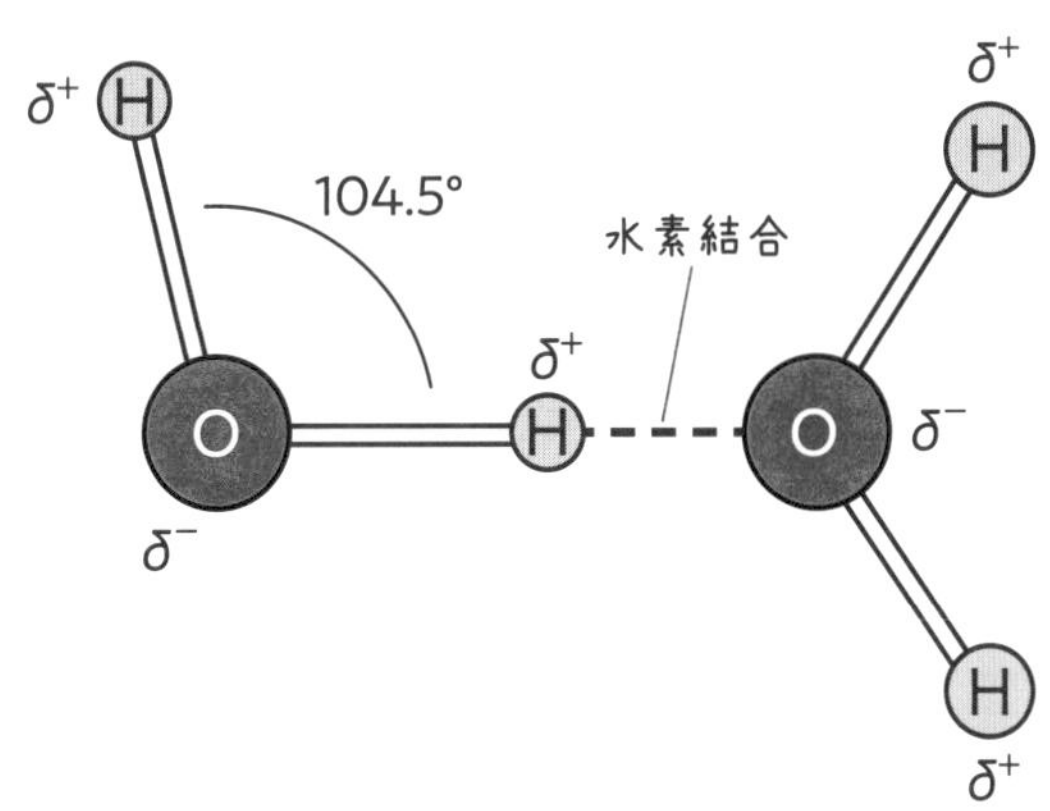

水素結合のしくみ

会合してクラスターになる水

メタンハイドレートの構造を知るには、水分子の性質を知る必要があります。水の分子式はH_2Oであり、2個の水素原子Hと1個の酸素原子Oからできています。酸素と水素はH-O-Hという順序で結合していますが、形は一直線状ではなく、104・5度と、くの字形に曲がっています。

水分子の特徴は、分子内に電気的にプラスの部分とマイナスの部分があるということです。つまり水分子は、分子全体としては電気的に中性ですが、部分的に見るとHが少しだけプラスに帯電し、酸素は少しだけマイナスに帯電しているのです。このような分子を一般にイオン性分子とか極性分子といいます。

多くの分子がこのような性質を持っており、決して珍しいものではありません。

このような性質の水分子が2個、互いに近づいたらどうなるでしょう。片方のH（電荷がプラス）ともう片方のO（電荷がマイナス）との間で静電引力に基づく力が発生し、結合するのです（水素結合）。

結合するのは2個だけではありません。液体の水の中ではたくさんの水分子が水素結合で結ばれ、集団をつくっています。このような集団を一般に「**会合**」、あるいは「**クラスター**」と呼びます。新型コロナ症状の発生源のクラスターと同じ意味です。水のクラスターの典型は氷です。氷は水分子が立体的に積み上がった結晶であり、すべての水分子が水素結合によって結ばれ、その構造は宝石のダイヤモンドと同じです。

メタンハイドレートは鳥カゴの中のメタン

図はメタンハイドレートの燃焼の様子と構造です。中心の丸がメタン分子、その周りにある丸が水分子の酸素です。つまりメタンハイドレートは、水分子が水素結合してつくったケージ（カゴ）の中にメタン分子が入っています。水素ケージが鳥カゴだとしたら、メ

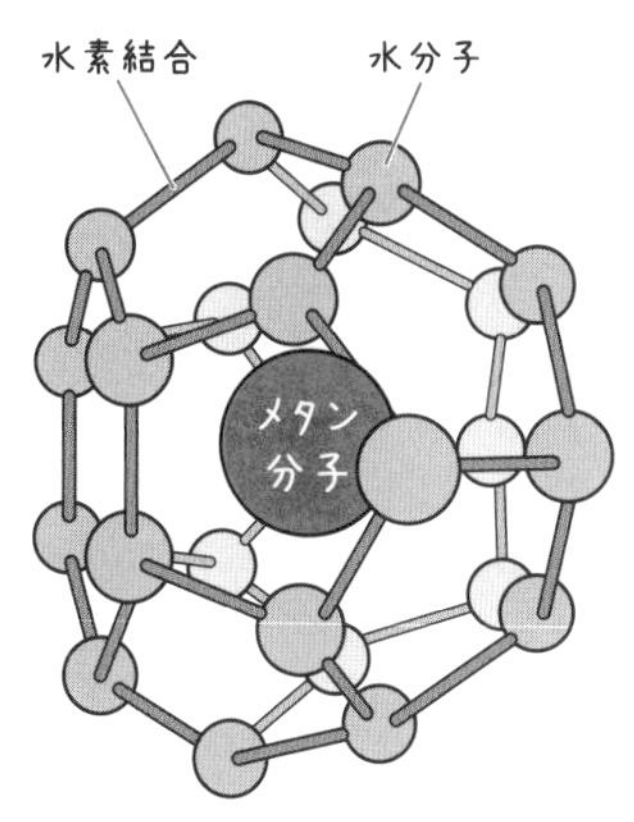

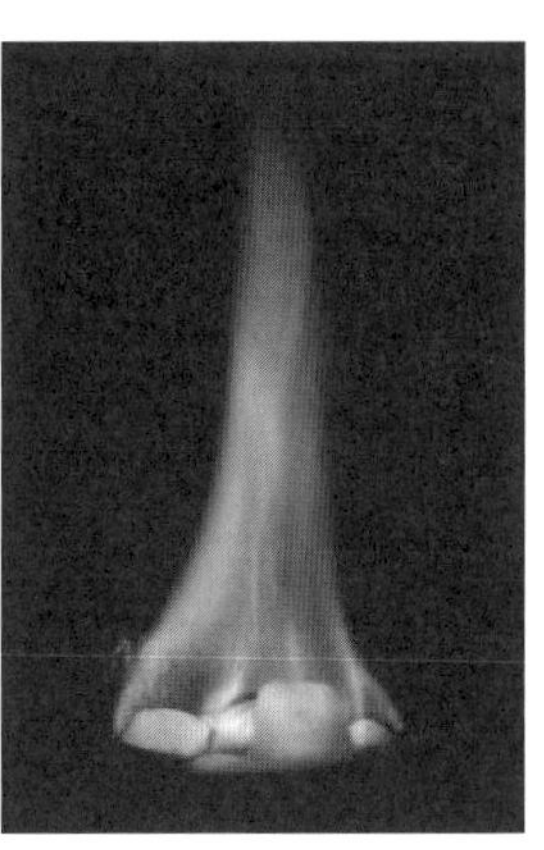

燃焼するメタンハイドレートと、鳥カゴ状の構造

出所:アメリカ地質調査所

タンはそこに入ったカナリアです。

このように、複数個の分子が集まってつくった高次構造体を一般に超分子といいます。氷も超分子の一種ですが、メタンハイドレートは2種類の分子からできた超分子です。生物の体はもちろん、自然界にはこのような超分子の例がたくさんあります。二重らせん構造のDNAは2本のDNA分子が互いにねじれ合ったもので、典型的な超分子です。

メタンハイドレートは、正五角形を単位構造としたケージの中にメタンが入った単位立体構造が互いに一辺を共有するようにして結合しています。平均すると1個のメタン分子の周りに5～6個ほどの水分子が結合していることになります。つまり、メタンハイドレートの構造は（CH_4 ＋ $6H_2O$）のようなものなのです。このメタンハイドレートに火を近づけたらどうなるでしょうか。ケージの中のメタンは可燃性物質ですから、酸素と反応し、燃えて熱を出して「二酸化炭素と水」になります。

でも、ケージをつくっている水は、水のままです。ということはメタンハイドレートが燃えたら、「二酸化炭素と水（大量の水）」になるのです。冬にガスストーブや石油ストーブを焚くと窓ガラスに水滴が溜まり、結露が生じますが、もしメタンハイドレートをガスストーブで燃やしたら、もっと多くの水滴が発生してしまいます。このため、メタンハイドレートをそのまま燃料として用いることは現実的ではありません。メタンハイドレートから、メタンだけを取り出す必要があるのです。

メタンハイドレートの分布と採取

自然界には、幾何学的に規則正しく美しい構造がたくさんあります。雪の結晶などはその最たるものでしょう。雪の結晶は水滴が冷えた空気中を落下する間に、簡単にできてしまいます。メタンハイドレートもそれに似ています。適当な温度（低温）、適当な圧力さ

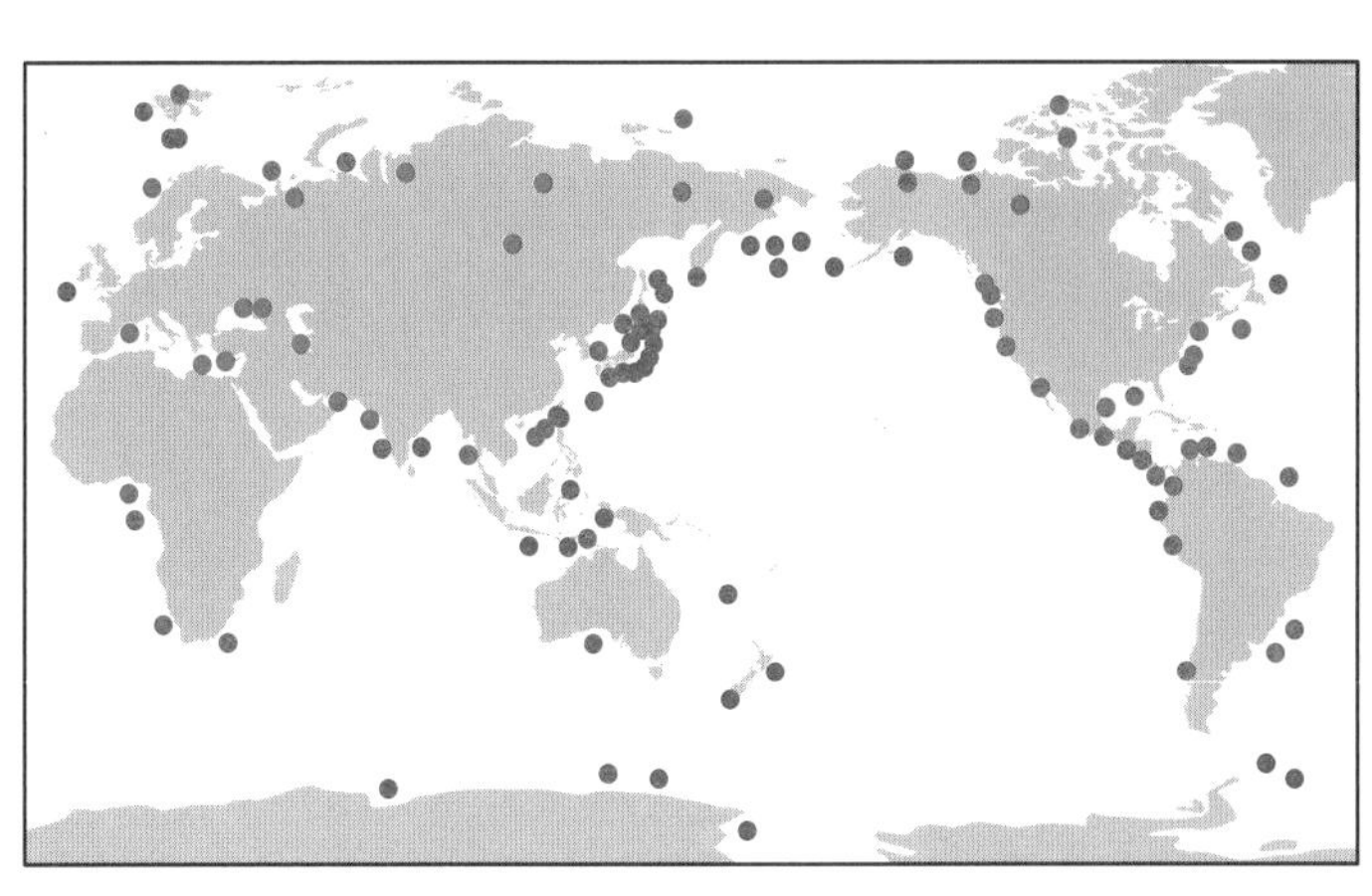

世界のメタンハイドレート分布予測

出所：MH21-S研究開発コンソーシアム

えあれば、あとは原料のメタンと水で簡単にできてしまうようです。

メタンハイドレートが最初に発見されたのはシベリアの天然ガスのパイプラインだったといいます。1934年のことです。パイプラインが故障したので技術者が点検に行ったところ、パイプラインに亀裂が入ってメタンガスが漏れていました。その部分に大量の雪のようなものが積もっていたので、何だろうと思って調べたのがメタンハイドレートの発見だったとの話があります。

自然界においてメタンハイドレートが大量に存在するのは、大陸棚（深さ100～1000mほど）です。これは日本列島の海

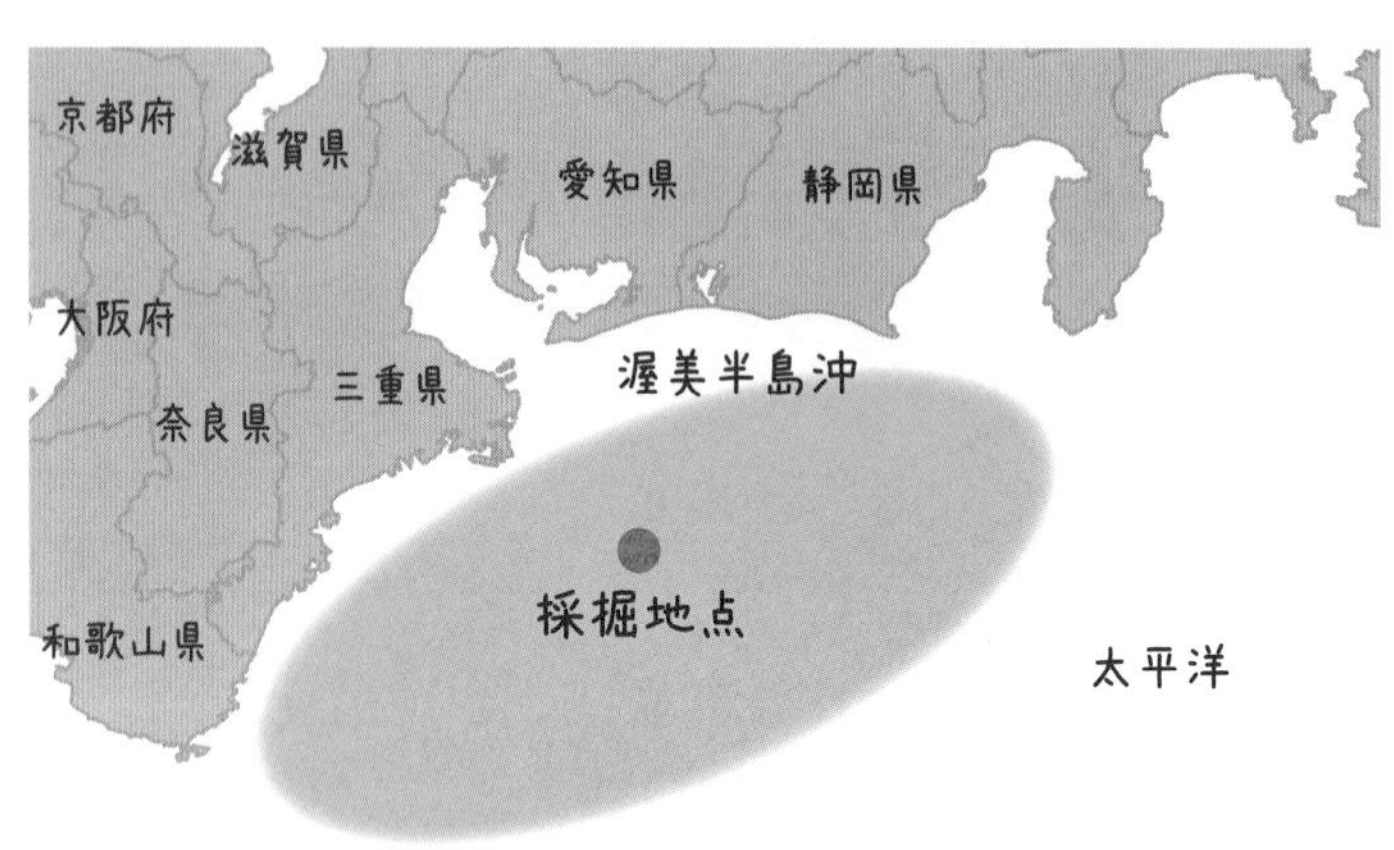

渥美半島沖で試験的に採掘されているメタンハイドレート

域です。つまり、日本は絶好の条件に恵まれているのです。

メタンハイドレートは、日本での天然ガスとしての可採年数の100年分に達するといいます。海底に白い雪のように積もっていることもあれば、海底の泥と混じっていることもあるようですが、構造的にはまったく同じものです。

日本では2013年から渥美半島沖で試験的な採掘が行なわれています。採取が困難などの壁もありますが、日本にとっては大きな可能性を秘めているだけに、今後に期待したいものです。

5

埋蔵量の大きなシェールオイル、サンドオイルとは？

シェールオイル、サンドオイル

シェール（頁岩）や砂岩に吸着された鉱油。原油の２倍以上の埋蔵量があると見られている。

天然ガスにシェールガスやメタンハイドレートなど新しい資源が見つかっているように、石油にもいくつかの新しい資源が見つかっています。それがシェールオイル、サンドオイルです。

シェールオイルは原油の2倍以上の埋蔵量

化石起源の新しい液体燃料の一つに、シェールオイルがあります。**シェールオイル**の「シェール」はシェールガスの場合と同様に「頁岩（けつがん）」のことです。すなわち、堆積岩である頁岩に吸着されたオイルという意味であり、シェールオイルを含む頁岩は日本語では**油母頁岩（ゆぼけつがん）**と呼ばれます。

シェールオイル、そしてこのあとで述べる

サンドオイルは、埋蔵状態ではコールタール以上の固体状態であり、流動性のある原油とはまったく様相が異なります。そこで、シェールオイルやサンドオイルをまとめて「**タイトオイル**」と呼ぶこともあります。

シェールオイルもサンドオイルも、オイルとして市場に出た場合には「石油」であり、両者に違いはまったくありません。シェールオイルの頁岩(シェール)は、前に述べたシェールガスの頁岩とは異なり、地下とはいうものの、浅いところにもあります。そのため、場合によっては露天掘りも可能です。その上、シェールオイルの存在量は莫大です。石油換算での確認埋蔵量は現在確認されているだけで約3兆バーレルもあり、原油の確認埋蔵量(1・3兆バーレル)の2倍以上もあるといわれます。

しかし、シェールオイルにも問題があります。それは、シェールオイルの「オイル」は「石油」ではなく、「**油母**(ケロジェン)」であるということです。すなわち石油の有機起源説に従えば、微生物が熱分解されて石油になるのですが、その途中に生じる「中間体」が油母と呼ばれる物質です。油母は採掘してもすぐに石油として使えるものではなく、その前に加熱分解等の化学操作が必要になるのです。

シェールオイルの採掘法は、「採掘と熱分解を一体化」させたものです。つまり、頁岩層に向けて坑道を掘り、その場で400~500℃に加熱して油母を分解します。この分解によって、天然ガス相当の気体成分（これも「シェールガス」と呼ばれます）と石油相当の液体成分シェールオイルの両方が発生します。つまり、この方法で天然ガスと石油の両方を同時に獲得できるのです。

優れた方法といえますが、やっかいな問題があります。それはシェールガスの場合と同じように、費用と市場価格に関する政治・経済的な問題、さらには掘削、採取に絡む環境問題等です。シェールオイルが安定的に生産されてエネルギー問題を「科学的」に解決するには、その前に解決すべき「政治・経済的な問題」が多いようです。

サンドオイルとは「ピッチ」に相当するもの

シェールオイルと並んで注目される液体化石燃料が**サンドオイル**です。サンドオイルの「サンド」とは、頁岩と同様の「砂岩」のことをいいます。しかし、「オイル」はシェールオイルの「オイル」と同様、石油ではありません。そして「油母」でもありません。

トリニダード・トバコの地表で露出するサンドオイル

出所：Michael C.Rygel

サンドオイルの「オイル」は原油のうち、揮発成分が気化してしまった残りカス（ビチューメン）なのです。したがって普通の石油製品と比べれば、ガソリンや灯油の部分が蒸発してしまって、その後に残る重油やピッチに相当するもので、もともとは原油の染み込んだ砂岩だったのです。しかし、長い年月の間に沸点の低いガソリン、灯油、軽油などに相当する部分が揮発してなくなり、最後の高沸点部分だけが残ったのです。

サンドオイルの主な組成は砂が83％、水が4％、石油成分が10％で、主成分は砂ですから流動性はまったくありません。そのため石油成分を取り出す作業は極めて難しくなります。さらに、サンドオイルにも環境問題、そして政治・経済的な問題が待っており、前途多難です。

6

新世代化石燃料のコスト と問題点

シェールオイルの壁

古い化石燃料の世界を覆すには、コストという政治・経済問題、そして環境問題など、超えなければいけない課題が待ち受けている。

世界有数のシェールガス保有国アメリカは勇んで商業ベースの採掘に臨みました。しかし、二つの大きな問題に遭遇しました。環境問題と経済問題です。

実用のためにクリアすべき二つの問題

次ページのグラフを見れば明らかなように、シェールガスの採掘が始まった途端、アメリカの天然ガスの価格は半分に下がりました。豊富な天然ガスであるシェールガスが市場に出回ったからです。これで困るのは既存の天然ガス採掘業者です。彼らも思い切って天然ガスの価格を下げました。こうなると、あとは体力比べです。価格競争に負けて撤退する新参業者も出てきました。

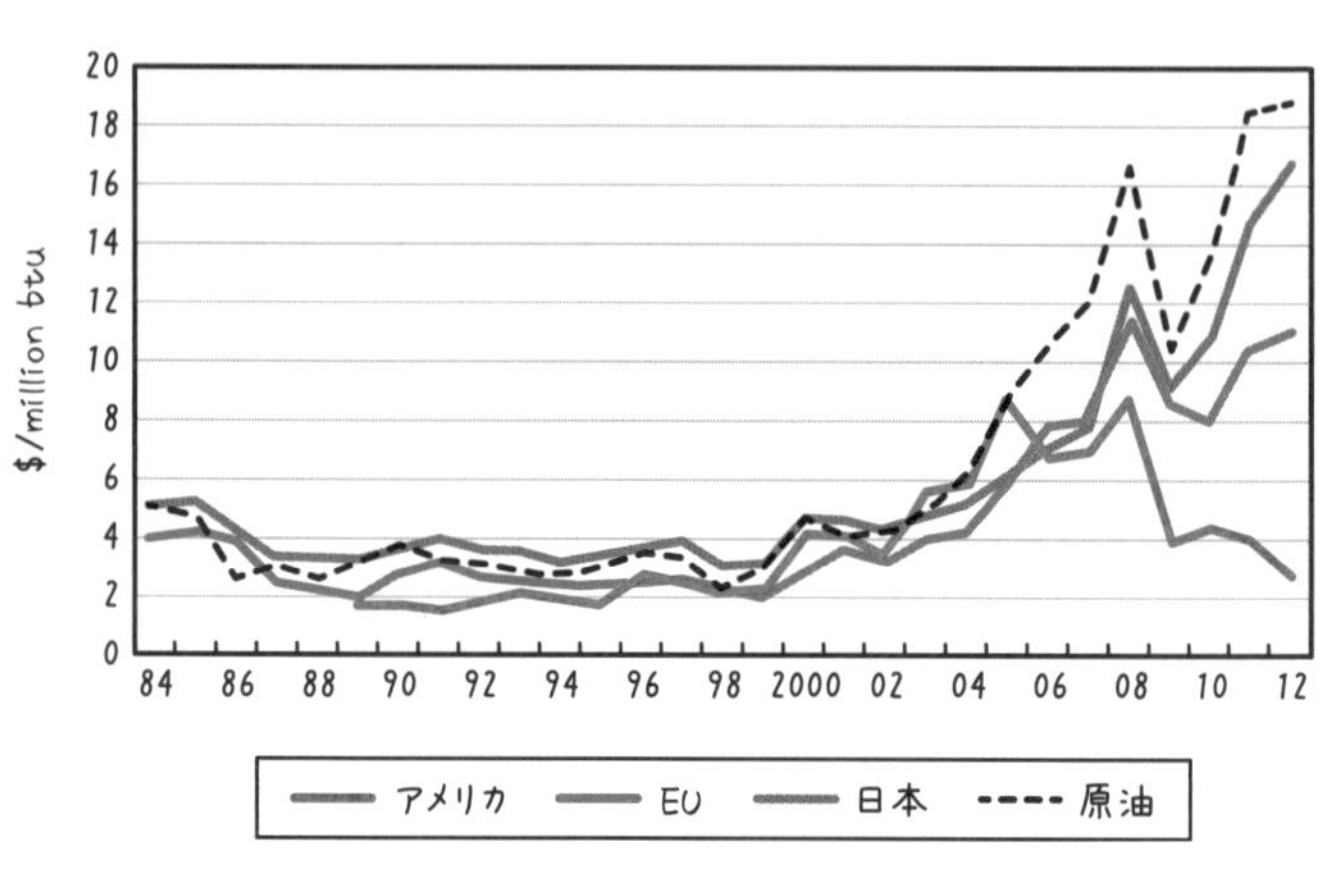

天然ガスの価格変動

天然ガス価格の低下は、当然、原油価格に影響します。前に、「化石燃料の価格は需要と供給で決まる」といいましたが、それだけではありません。将来の優位性獲得のために一時的に投げ売り価格を設定し、相手を弱らせるような政治的思惑が交錯し、化石燃料価格は変動を続けています。このようなことはこれまでにもあったことですが、シェールガスなどの新世代化石燃料の登場によって、不安定要素が増えたのは確かでしょう。

2016年版の「世界エネルギー展望」(World Energy Outlook)は、「2040年に世界の石油生産は現状から7割減」と予測しています。新興国の旺盛な電力需要を考えると、原油市場が逼迫(ひっぱく)するかもしれません。そう考えると、シェールオイルやサンドオイル開発に先行投資しておくことは、保険をかける意味からも重要と考えられます。

一方で、現時点で国内の原発のほとんどを停止している日本は、今後のエネルギーミックスをどうしていくのか、という議論を進めていく必要があります。世界のエネルギー情勢が刻一刻と変わっていく中、将来のベースロード電源をどうするのか、そろそろ真剣に考えなければならないタイミングに来ているのではないでしょうか。

シェールオイルの確認埋蔵量は約3兆バーレル、サンドオイルの確認埋蔵量は約2兆バーレルといいますから、原油の埋蔵量の3倍。しかし、問題はオイルシェール、オイルサンドからオイルを回収するためには加熱分解などの化学操作が必要ということです。

結局はコスト（政治・経済の問題）と、環境問題に帰着するのです。商業的な採取はすでに行なわれていますが、本格的で安定した採取は、将来原油が不足して価格が高騰した時ということになるのでしょうか。生産コストのうち、用地買収などの費用は支出済みなので、これからのコストは現在の原油価格で十分ペイするという話もあります。

第4章

スマホも電気自動車も動かす「電池」

1

電気とは何か？

電気

「電子の流れ」のこと。電子の流れを「電流」というが、「電子の流れる方向」と「電流の流れる方向」とは逆。現代社会は「電気」のおかげで成り立っている。

人類が電気を意識した最初の実験は、アメリカの政治家兼科学者ベンジャミン・フランクリンが1752年に行なったライデン瓶を用いた実験といわれます。フランクリンは激しい雷の鳴る夜にライデン瓶につないだタコを上げ、ライデン瓶の金属箔が静電反発によって開くことを見て、「雷は静電気である」ことを証明しました。

なお、「ライデン瓶」という名前から「雷電」をイメージしたかもしれませんが、ライデンは人名です。また、この実験は大変に危険です。彼のあとに同じ実験をして感電死した人が何人もいます。フランクリンが無事だったのは「運がよかった！」だけですので、決して真似をしないでください。

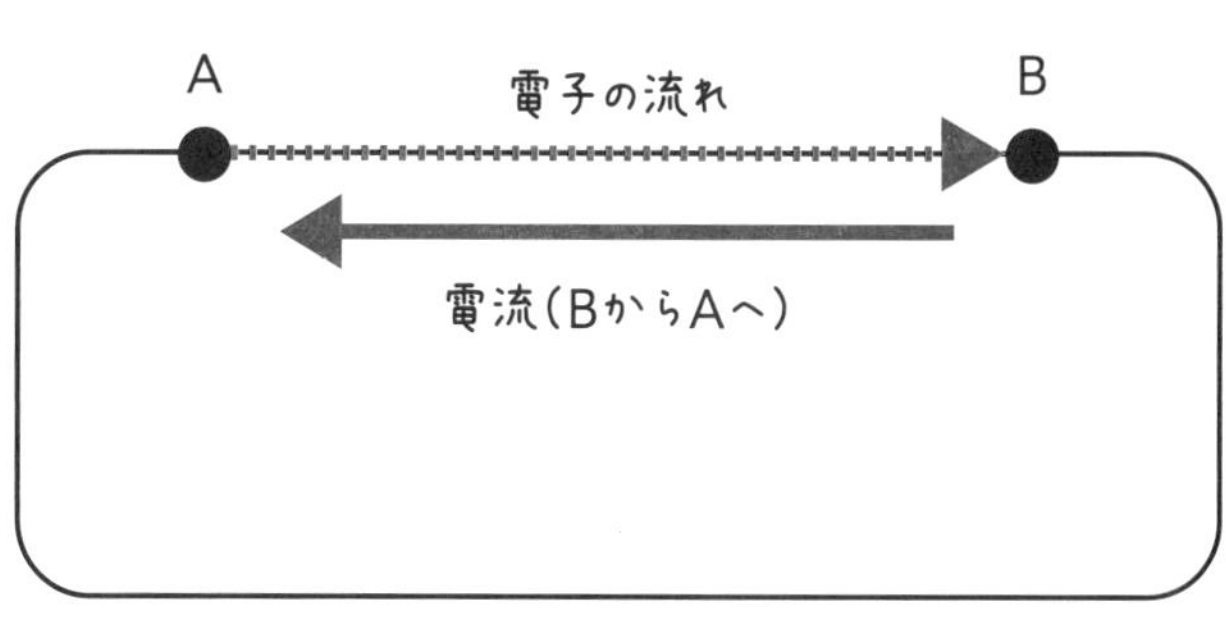

「電子の流れ」と「電流」とは逆

電子の流れのヒミツ

フランクリンの実験から50年後の1800年には、イタリアの科学者ボルタが世界初の電池を発明しましたが、一般生活に電気が取り入れられるのはかなり遅れました。イギリスの科学者ジョゼフ・スワンが白熱電球で特許を取ったのは1878年です。エジソンが改良された白熱電球で特許を取ったのは翌年になります。その後の電気の活躍には眼を見張るものがあります。

電気は見えないし、触ることもできません。そのため、「電気とは何か?」と聞かれると返答に窮(きゅう)します。しかし、答えは明瞭です。電気とは「電子の流れ」です。

では、「電子の流れ」とは何でしょうか？　世の中のすべての物質は原子でできています。そして、原子の中心にある原子核はプラスに荷電していて、原子核の周りに雲のように佇む電子はマイナスに荷電しています。この電子が川の流れのように移動するのが**電流**なのです。

電子がA地点からB地点に移動する時に、「電流もAからBに流れる」のであればわかりやすいのですが、不思議なことに「電流はBからAに流れる」と定義されています。これはまだ電子が発見されていない時に、「電流はプラス極からマイナス極に流れる」と定義してしまったせいです。19世紀末になって電子が発見され、電子がマイナスの電荷を持っているため「マイナス極からプラス極に動く」とわかり、つじつま合わせで苦しい説明になっているのです。

コラム 電気は見る、触ることができる？

球電現象をご存知でしょうか。雷のあとなどに直径10〜30㎝ほどの火の玉のようなものが空中に浮いてゆっくり動いていることがあるそうです。日本で「火の玉」として騒がれる現象は、この球電現象でないかといわれています。

1901年の球電の描写

滅多に起きない現象なので科学的検証は十分ではありませんが、雷によって起こったプラズマだといわれています。危険なので決して触れないようにしたいものです。プラズマはプラスの原子核とマイナスの電子の集まりですから、球電現象を見たら、「電気を見た！」ということになるかもしれません。

乾電池の電極に触るとヒリヒリした感じがします。陽極を舐めるともっと確実に感じます。これは電気に触ったことになるでしょう。冬にドアノブに触ると、バチッとなるのは静電気が放電されたことによりますから、これも電気に触ったことになるのではないでしょうか。

2

化学電池は すべての電池のキホン

化学電池

化学反応で電気エネルギーを発生する装置のこと。

電池には乾電池、リチウム電池、蓄電池、太陽電池、水素燃料電池などと多くの種類があります。これらのうち、太陽電池を除いた電池はすべて電池内で起こる化学反応によって電気を生産しています。このような電池を**化学電池**といいます。

化学電池の原理

電気は通常、街から遠く離れた場所にある発電所でつくられ、長い電線を経由して街中の工場や家のコンセントに送られます。私たちは電気器具の電源コード（電線）をコンセントにつなぐことによって電気エネルギーを受け取り、電気器具を稼働させます。

しかし、これではすべての電気器具は電源

コードでコンセントにつながれることになり、不便なことこの上ありません。もし電源コードがついていたら、とても携帯電話とはいえないでしょう。そこで活躍するのが電池です。

人類が初めて手にした化学電池はボルタが1800年に発明した**ボルタ電池**です。ボルタ電池はすべての電池の基本になるものです。懐中電灯に入っている乾電池、電気カミソリに入っているニッカド電池、パソコンに入っているリチウム電池などはすべて化学電池です。自動車に入っているあの重い鉛蓄電池も化学電池の一種です。

電池内部で起こっている化学反応は**酸化・還元反応**といわれる反応です。一般に、ある原子Aが**酸化**されるということは、Aが酸素Oと結合して酸化物AOになることをいいます。その反対に、AOが酸素を失ってAになることを**還元**といいます。

原子には電子を引きつける性質を持つものと、反対に電子を放出する性質を持つものがあります。原子が電子を引きつける性質を**電気陰性度**といいます。酸素は最も電気陰性度の大きい原子、つまり電子を引きつけやすい原子の一つです。逆に、水素や金属は電気陰性度が小さく、電子を放出する性質を持ちます。

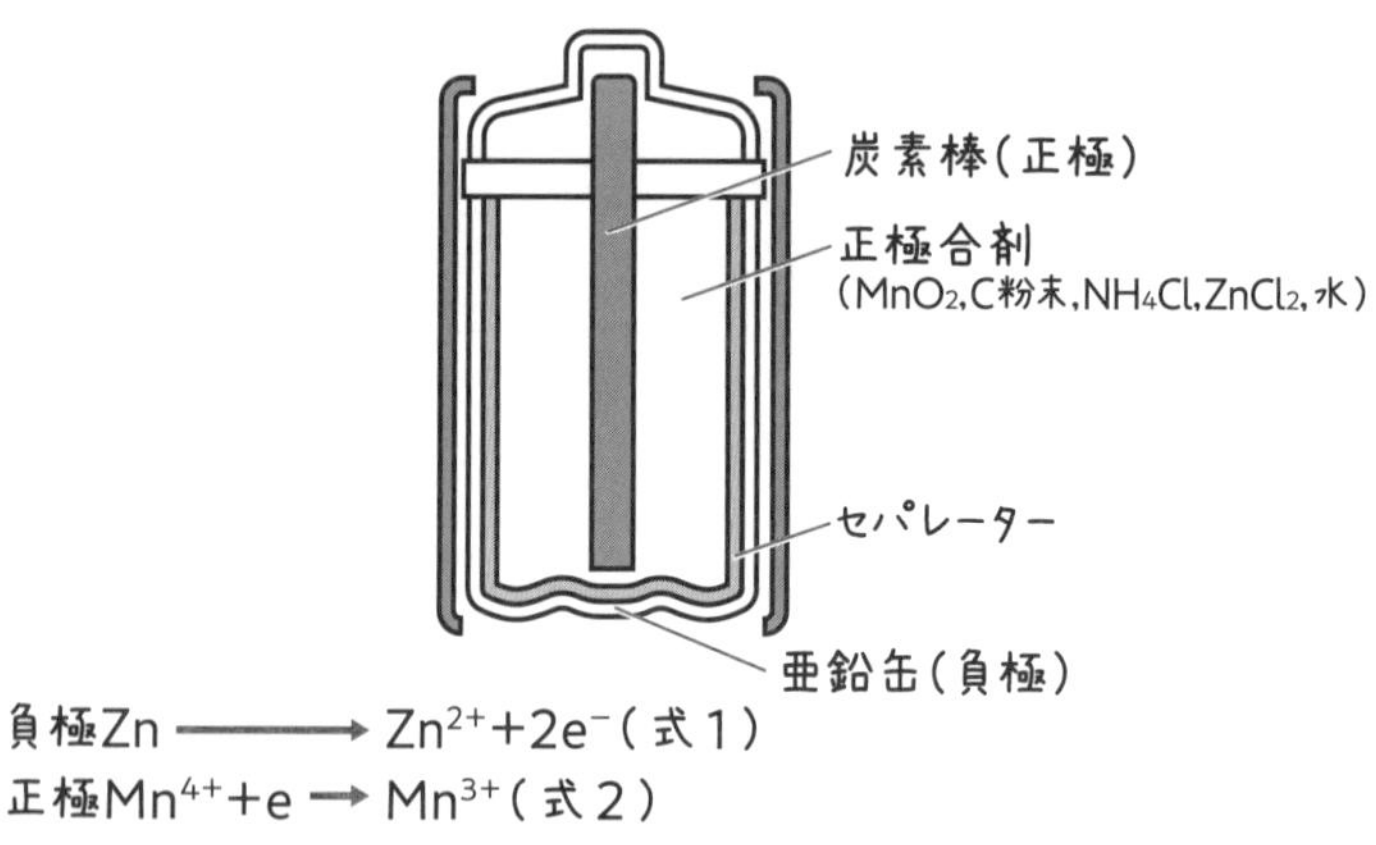

現在の電池の構造

化学電池の実際

基本的な乾電池であるマンガン乾電池の構造は図のようになっています。負極に亜鉛、正極に二酸化マンガンMnO_2を用いています。乾電池の電解質には、二酸化マンガンの粉末と電解液の塩化アンモニウムNH_4Cl水溶液、あるいは塩化亜鉛$ZnCl_2$水溶液を練り合わせてペースト状にしたものが用いられています。

まず、負極の亜鉛Znが2個の電子eを放出して亜鉛イオンZn^{2+}になります（式1）。この電子を正極の二酸化マンガンMnO_2を構成する4価のマンガンイオンMn^{4+}が受け取って、3価のマンガンイオンMn^{3+}になります（式2）。これで、電子が負極から正極に移動したことになります。

最近よく用いられているアルカリマンガン乾電池は、電解質にアルカリ性の水酸化ナトリウムNaOH水溶液を用いて、出力を大きくしたものです。起電力は、いずれも1・5Vです。一般に大出力を要する場合、つまりラジコンカーを動かすような場合にはアルカリ乾電池を、そして時計のように小出力を小出しに使う場合にはマンガン電池が有利とされているようです。

電池はいわば「携帯型発電所」のようなものです。あの軽くて小さな容器の中で、化学反応を始めとした、いろいろなエネルギーを電気エネルギーに変換して、われわれの生活の役に立っているのです。

二次電池と一次電池の違いは？

一次電池、二次電池

一回きりの使い捨て電池が一次電池、充電して繰り返し使える電池が二次電池。

乾電池のように一回きりの使い捨て電池を一般に**一次電池**といいます。それに対して自動車のバッテリー（鉛蓄電池）やスマホのリチウムイオン電池のように、充電することによって何回でも繰り返し使うことのできる電池を**二次電池**といいます。

最近はニッケルとカドミウムを用いたニッカド電池、リチウムを用いたリチウムイオン電池など、優れた性能の二次電池が開発され、家庭用の電池も使い捨てをやめ、二次電池を使う人が増えています。また二次電池の蓄電機能が見直され、電気自動車などに搭載された大容量の二次電池を、災害時の停電に使おうという動きも始まっています。

時代を進めたリチウム電池

ニッカド電池（ニッケル・カドミウム蓄電池）が開発されたのは1899年ですが、実際に広く使われるようなったのは1960年代からです。ニッカド電池の特徴は「高出力」です。そのため、ドライヤーやシェーバーなどモーターを使う電気機器に適しています。反面、ニッカド電池は自然放電が大きいため、時計のように小さい消費電力で長期間稼働させ続ける機器には不向きです。

また、使い始めから放電終止直前までは電圧、電流ともに安定した放電を行なえますが、放電終了直前から急激に電圧が下がるという特徴もあります。その他にも、容量が少ないこと、放電が完了しないうちに充電すると放電容量が小さくなる「**メモリー効果**」が顕著など、欠点もあります。

いまは電子機器、スマホ、ノートパソコンの電源のほとんどに、大容量の**リチウムイオン二次電池**が使われています。巨大な旅客機ボーイング787に使われる電池もそうです。逆にいうと、リチウムイオン電池の登場がこれら最先端電子機器の登場を可能にした、ともいえます。開発者の一人である吉野彰博士が2019年のノーベル化学賞を受賞したこ

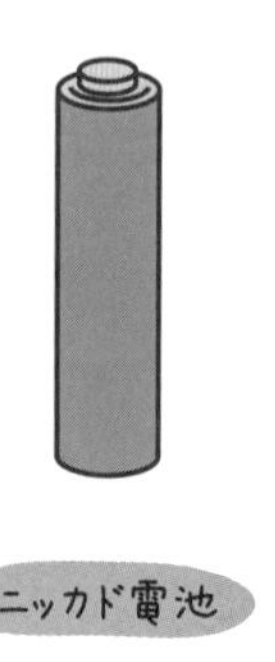

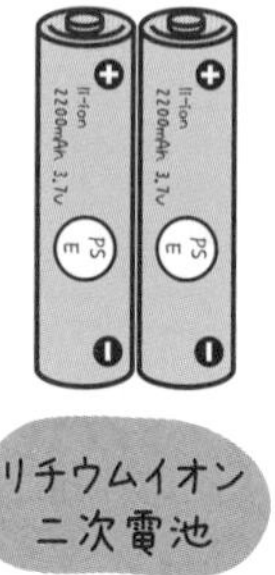

ニッカド電池とリチウムイオン電池の違いは?

とも、この電池の重要性を裏づけるものでしょう。

しかし、ボーイング787が就航した当時、電気系統のトラブルが頻発しました。原因はすべてリチウムイオン電池からの出火でした。それ以前にも、ノートパソコンのリチウムイオン電池からの出火が相次ぎ、製造会社は大きな損失を出しました。その大きな原因が電解液です。有機溶媒が燃えるのは宿命です。しかも、現在用いられている電解液は炭酸系で分子内に酸素を3個も持っていて、燃えやすいのは当然なのです。

またリチウムはレアメタルであり、非常に偏った存在の金属です。日本ではほとんど生産できません。リチウム価格は、これからも上がり続ける危険性があります。

幻の高性能二次電池

ニッカド電池、リチウム電池以外に、高性能が見込まれ、開発研究が行なわれたものの、危険で市販できなかった二次電池があります。それが金属リチウムの二次電池です。二次電池に対する、容量増強の要求は高まるばかりです。リチウムイオン電池は大容量、高出力の優れた二次電池ですが、より大容量の二次電池のニーズが存在します。その極限が**金属リチウム**そのものを使う二次電池です。それが「金属リチウム・空気電池」で、これは金属リチウムそのものを電極とするものです。このため、電極におけるリチウム濃度は極限となり、体積当たりの容量も極限になります。

しかし、金属リチウムを電極として使うと大きな問題が生じます。それはリチウム金属の樹状結晶が生成することです。放電時にはリチウムが溶け出し、逆に充電時には溶けているリチウムイオンがそのまま金属として析出してきます。この時、リチウム金属が鋭い棘(とげ)のような樹状結晶になるのです。

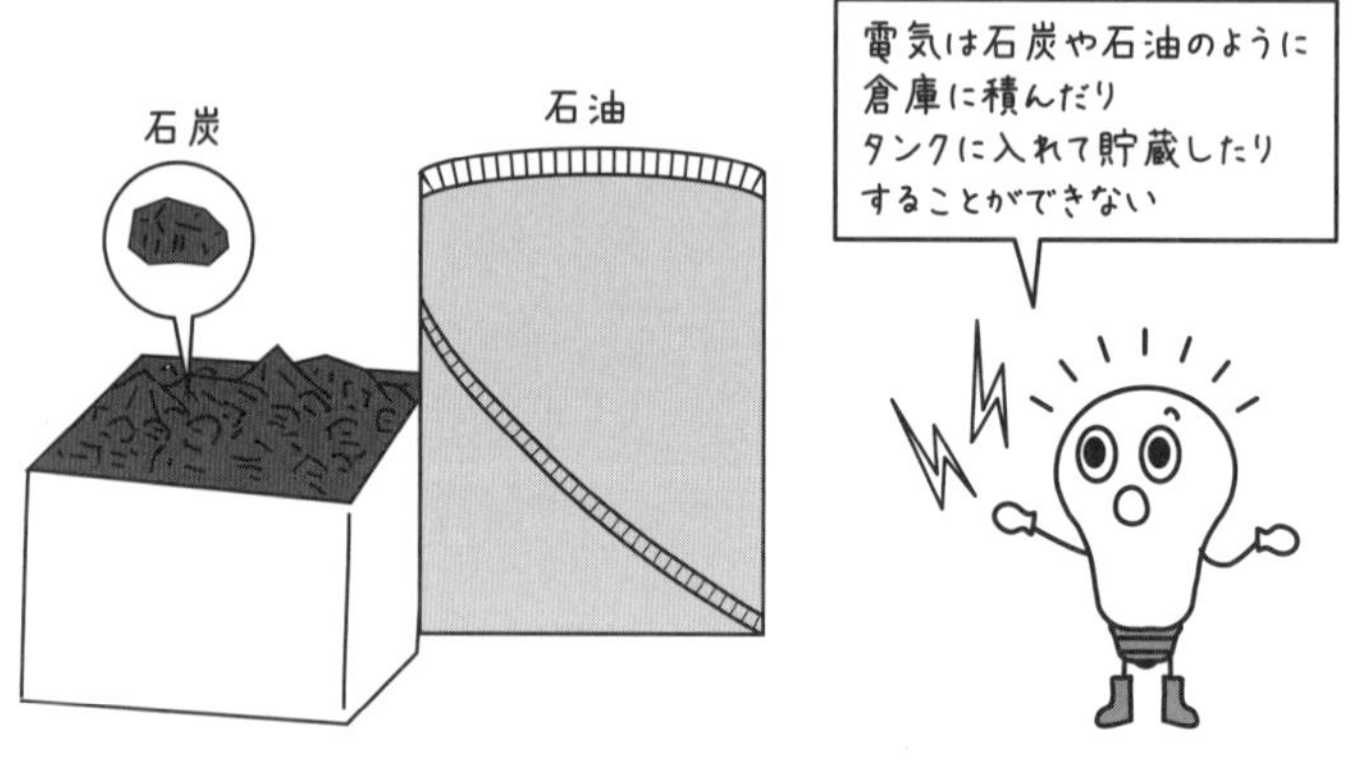

電気の致命的な欠点

樹状結晶は電池のセパレータを突き破ってしまいます。これはショートを意味し、金属リチウム電池のような高エネルギー密度の電池においては致命的です。この問題を解決できない限り、金属リチウム二次電池を実用化することはできません。

電気の致命的な欠点は貯蔵できないことです。石炭や石油のように倉庫に積んだり、タンクに入れて貯蔵したりすることができません。その意味で、二次電池の需要はますます高まることでしょう。しかし、発電所や変電所の使用に耐えるような大容量の蓄電池はまだ開発されていないのです。

コラム 全固体電池

全固体電池というのは、乾電池のように、すべて固体だけでできており、液体を用いない電池のことをいいます。一次電池、二次電池両方にあります。全固体電池は、電解液の代わりに固体の電解質が電子移動を担うものです。

液体の電解液では、電解質の蒸発、分解、液漏れといった問題が起こりました。そのため、電解質を固体にすることは開発者たちにとって積年の課題で、幾多の技術者、研究者が挑んできたものの、実用化に至ったものは一部に限られていました。

固体電解質には、酸化物系や硫化物系のような無機系固体電解質や高分子系等、有機系固体電解質などがありますが、それぞれ一長一短です。課題となるのは電解質のイオン伝導性が低いということです。

しかし近年、電気自動車の普及とともに各国で開発が活発化しており、近々、実用品が発売される見通しになっています。

4

水素などの燃料を補給しながら使う燃料電池

燃料電池

何かを燃料として燃やし、発生する燃焼エネルギーを「電気エネルギー」に変える電池。

水素燃料電池という言葉が新聞やテレビで話題になっています。これは「水素を燃料として燃やし、その際に発生する燃焼エネルギーを電気エネルギーに変換する」というしくみです。このように、何かを燃料として電気をつくる電池のことを一般に**燃料電池**といいます。

燃料電池の原理を最初に考案したのはイギリスのハンフリー・デービーです。1801年のことですから、ボルタ電池が発表された（1800年）翌年のことです。現在の燃料電池に通じる原型は、1839年にイギリスのウィリアム・グローブによって作製されました。この燃料電池は、電極に白金を、電解質に希硫酸を用いて、水素と酸素から電力を取り出したといいますから、現在の水素燃料電池そのものです。つまり驚くべきことに、水素燃料電池の原型は200年近くも前に完成していたのです。

その後、燃料電池は熱機関によって動かされる、いわゆる発電機の登場によって忘れられていました。しかし、1955年にアメリカの科学者トーマス・グルッブによって、高分子膜を利用した現代的発電システムとしてよみがえることになりました。これによって、アポロ計画などの宇宙船で電力源として使われたほか、現在では燃料電池自動車（FCV＝Fuel Cell Vehicle）、家庭用燃料電池、あるいは携帯電話の充電システムなどにも活用されるに至ったわけです。

水素燃料電池、水素をどう供給するか？

水素燃料電池は水素が酸素と反応して水になる、つまり燃焼する時の反応エネルギー（反応熱）を電気エネルギーとして取り出す装置です。水素燃料電池の利点は、廃棄物としては「水だけ」という点です。宇宙ステーションのエネルギー源としても水素燃料電池が用いられ、その際に発生した〝廃棄物の水〟を宇宙飛行士が美味しそうに飲んでいるデモンストレーションがありました。

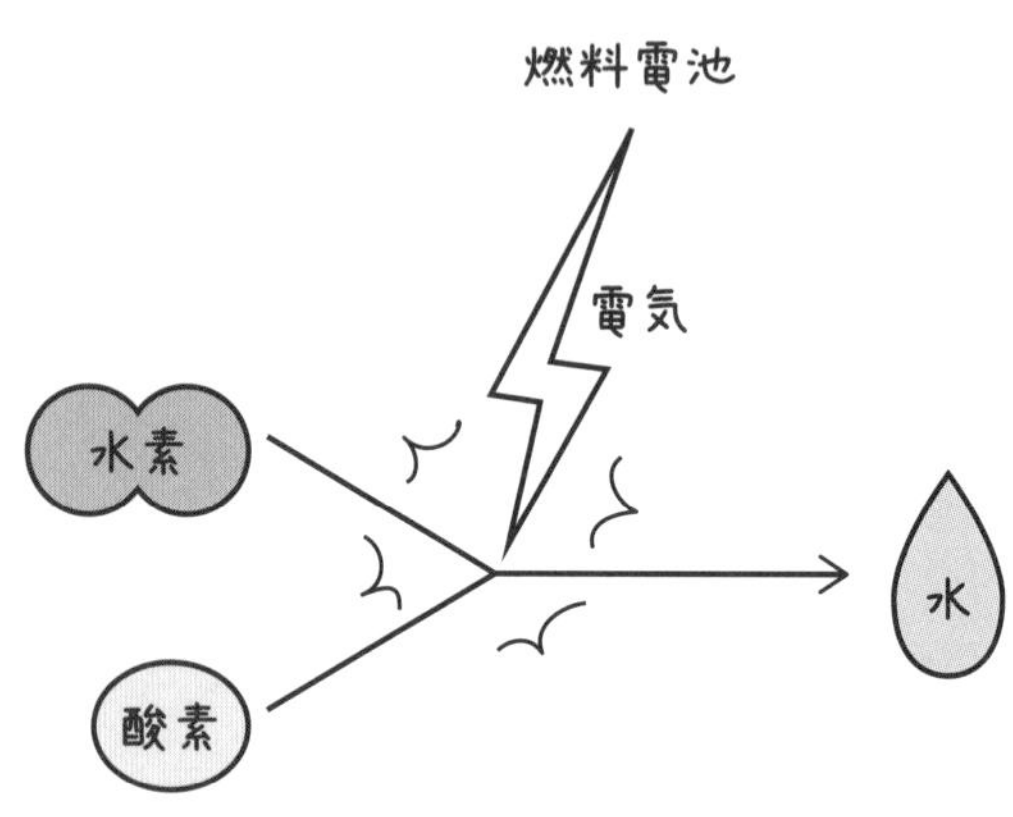

水素燃料電池のしくみ

当然のことですが、水素燃料電池は水素ガスがなければ稼働しません。ところが、水素ガスは自然界にはほとんど存在しません。ほしければ人工的につくる以外ないのです。そのためのいくつかの方法が開発されています。最も考えやすいのは**水の電気分解**です。しかし、電気分解には電気が必要です。「電気をつくるために、電気を用いる」……？　これで、はたして電気をつくっていることになるのでしょうか？

化石燃料のメタンを用いる方法もあります。700～1100℃の高温でニッケルなどの金属触媒が存在すると、水蒸気はメタンと反応して一酸化炭素と水素になります。アメリカでは年間900万トンの水素が製造されますが、ほとんどがこの方法によるものです。ただし、この方法でも高温を維持するためのエネルギーは他のエネルギー源に頼らざるをえません。

石炭を乾留※して得たコークスを酸素のない状態で1000℃ほどに加熱し、ここに水をかけると一酸化炭素と水素になります。この混合ガスは水性ガスといい、40年ほど前までは日本全国で都市ガスとして利用していました。なお、石炭を乾留してコークスをつくる際にもガスが発生し、このガスの55％も水素ガスですから、それも利用できます。

このほかにも産業活動の多くの場面で水素ガスが発生します。製鉄は鉄鉱石を還元して金属鉄にするのにコークスを用います。コークスをつくる際には、膨大な量の水素ガスが発生します。これを回収したら相当の水素資源となるでしょう。金属の多くは高温で燃え、水と反応します。自動車のホイールに用いられるマグネシウム合金の原料であるマグネシウムMgは水と反応して水素を発生します。

このように、ある種の金属廃棄物の処理現場では、不要どころか危険物である水素ガスの発生に頭を悩ませているので、その水素を回収することが考えられます。日本では毎日

※石炭や木材などの固体有機物を、外気を遮断して加熱分解し、揮発成分と不揮発成分とに分けること

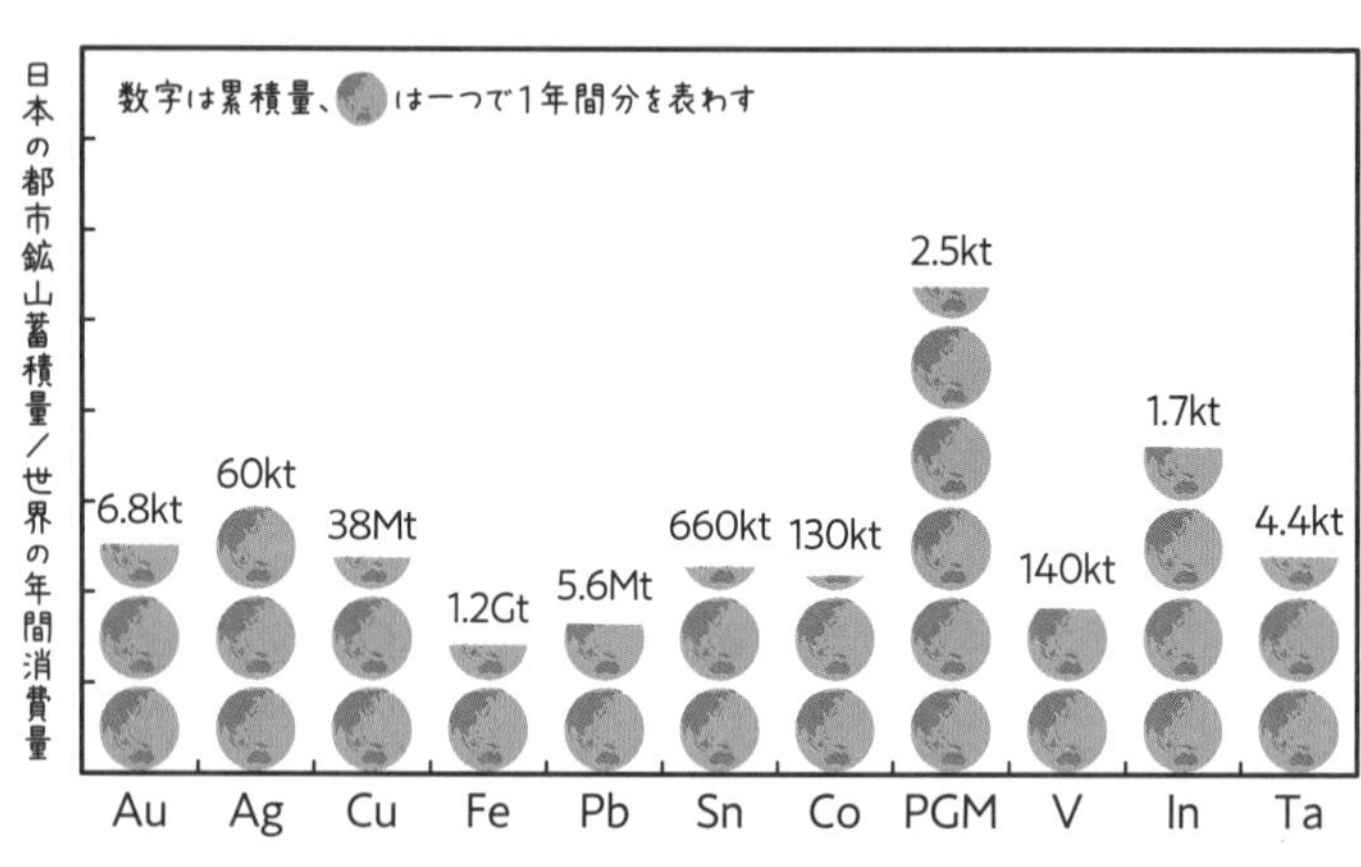

日本の都市鉱山の全蓄積（散逸分含む）は、世界の年間消費の数倍規模

出所：独立行政法人物質・材料研究機構

膨大な量の生ゴミが発生します。これを発酵させたらメタンガスになります。メタンガスは先ほどの方法によって水素になります。これは、日本は膨大な量の資源に恵まれていることを示すものです。

このように街中（アーバン）にある資源鉱山（マイン）を**アーバンマイン**といいます。鏡台の引き出しに眠る金やプラチナのネックレス、指輪、おじいさんの金歯、机の上に転がる古いケータイ、金メッキの腕時計、日本ほど豊かなアーバンマインを持っている国はないかもしれません。

その名も「空気電池」？

燃料電池の燃料は、水素だけとは限りませ

ん。亜鉛を燃料とするものとして、「**空気電池**」と呼ばれるものがあり、補聴器などに利用されています。ただし、この電池で供給しなければならないのは燃料ではなく、その燃料を燃焼させるための酸素です。そして、この酸素は空気から補給されます。したがって、空気電池というネーミングはとても妥当といえそうですね。

空気電池は主にボタン型電池として利用され、使用時には電極の空気取り入れ口に貼られたシールを剥がして用います。一度剥がしたシールを貼り直して電池を保存することはできません。

空気電池では正極材料に空気中の酸素を使うため、正極材料のスペースは不要です。その分、負極材料の亜鉛をたくさん詰めることができ、小型で軽いにも関わらず大容量の電気を取り出すことができます。ですから、耳に入れて使う補聴器の電源などに使われているのですね。

5

太陽電池は無尽蔵かつ低コスト？

太陽電池

光エネルギー（主に太陽）を電気エネルギーに変換する装置。

太陽電池は名前の通り、太陽の放つ可視光線のエネルギーを電気エネルギーに変換する装置です。一口に太陽電池といっても多くの種類があります。普通の家庭の屋根に乗っているシリコン（ケイ素）太陽電池、オフィスの模造観葉樹のように見える有機太陽電池、人工衛星などに用いる化合物太陽電池などです。

シリコンによる太陽電池

構造というにはあまりに単純ですが、最も一般的な太陽電池であるシリコン太陽電池の構造は次の図のようなものです。構造としては4種の板状のものを重ねただけです。しかもそのうち2枚は電極です。つまり、太陽電池の本体ともいうべきものはたったの2枚、

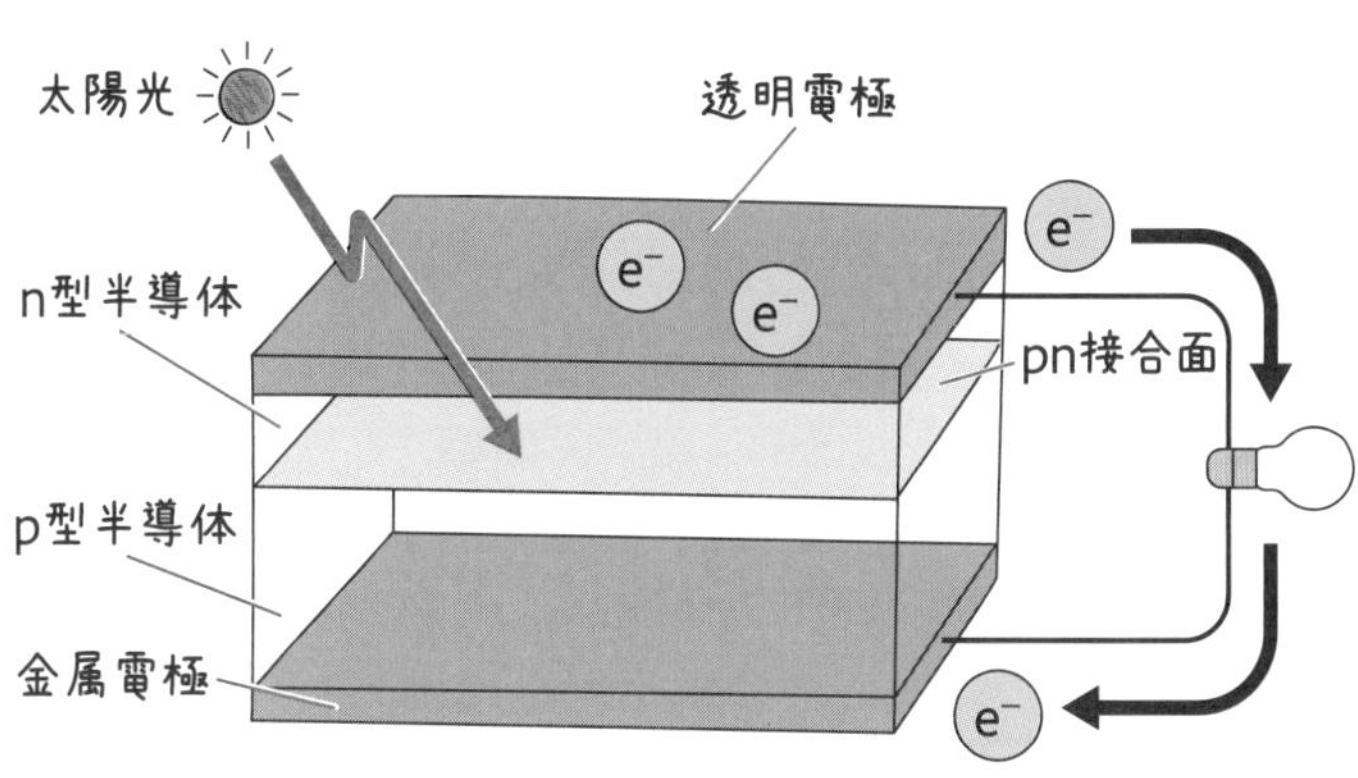

シンプルな太陽電池のしくみ

n型半導体とp型半導体、それだけなのです。しかも、実際の発電に携わっているのは図の「pn接合面」と書かれている、二種の半導体の接合面だけです。

なお、この接合面は2枚の半導体を接着したものではありません。p型半導体の片面に、n型半導体の成分となる原子を真空下でにじみ込ませたものです。したがって両半導体は原子スケールで密着していることになり、n型半導体の厚さは原子直径の何倍という程度の、非常に薄いものとなります。太陽電池用の薄膜シリコンで、n型は20μm＝0.02mmくらいのようです。

この太陽電池に透明電極の側から光を当て

ると、光は透明電極と薄いｎ型半導体を通り抜けてｐｎ接合面という、２枚の半導体の合わせ目に達します。するとこの合わせ目で「電子」が発生し、これがｎ型半導体を通って負極から外部回路を通って正極に達し、電流となるのです。正極に達した電子はｐ型半導体を通ってｐｎ接合面に戻ります。

すべてはもとに戻るだけです。何の化学反応も起こっていません。起きたのはｐｎ接合面の電子が外部回路を駆け巡って、もとのｐｎ接合面に戻ったということだけです。しかし、「電子が外部回路を通過した」ということがすなわち電流が流れたということであり、この回路に電球をつければ電球が灯ります。電球を灯すエネルギーはｐｎ接合面に達した光、つまり**光子のエネルギー**です。

「光エネルギーの何％を電気エネルギーに換えることができたか」を表わす数値を**変換効率**と呼びますが、シリコン型の場合は最大で20％程度、民生用に使っているものでは15％程度です。太陽電池の改良のポイントの一つは、この変換効率をいかに大きくするかというところにあります。

シリコン型以外の太陽電池

なお、現在、最も多用されている太陽電池はシリコン型太陽電池ですが、それ以外にも、化合物半導体太陽電池（数種類の原子を化学反応させた化合物を用いる）、多接合型太陽電池（形式の異なる太陽電池を何組か重ねたタンデム型太陽電池）、さらには有機太陽電池（有機物でできた太陽電池）、そして量子ドット太陽電池（現在考えられる最高性能の太陽電池）などがあります。

量子ドット（点）とは、無機物でできた小さな粒子のことで、直径はおおよそ10ナノメートル（nm：10^{-9}m）程度であり、原子直径の数十倍です。つまり、1個の量子ドットは1万個ほどの原子で構成されていることになります。

量子ドットは原子と同じような性質を持っているので、**人工原子**と呼ばれることもあります。量子ドットを用いた太陽電池の試作品はすでに稼動しています。現在のところ、変換効率は7％程度に過ぎませんが、今後改良を重ねれば60％に近づくとされています。

電池エネルギーのコストと問題点

電池の問題点

充放電サイクルの回数、エネルギーコスト、クリーンかどうか、価格など、問題点は多々ある。

電池は大変に便利なものですが、欠点がないわけではありません。それぞれの電池の問題点を見て見ましょう。ちなみに、一次電池の典型である乾電池はほぼ完成された電池であり、価格も100円ショップに並ぶほど安価になっています。今後、改良されて高機能になっていくのは二次電池でしょう。

二次電池にはどんな問題点があるか？

電池が抱える問題の一つは環境問題です。ニッカド電池の最大の問題点は負極材料のカドミウムです。これは1960年代に富山県で公害として大問題になった「イタイイタイ病」の原因物質です。このため、廃棄する際には環境に漏れ出さないよう、細心の注意を払わなければなりません。また、正極材量の

	充放電 サイクル回数（回）	エネルギーコスト （Wh/ドル）	自己放電率 （%）
鉛蓄電池	500~800	5~8	3~4
ニッカド電池	1500	—	20
リチウムイオン電池	1200~2000	0.7~5.0	5~10

主な二次電池の性能比較

ニッケルはレアメタルの一種であり、高価格の原因になります。

二次電池にはいろいろな種類がありますが、それぞれの性能はどうなっているのでしょうか。二次電池の性能を比較してみましょう。上表は現代の代表的な二次電池の性能を比較したものです。すべての面でリチウムイオン電池が優れた性能を持っていることが如実に示されています。

「**充放電サイクル回数**」とは、実用的な支障のない範囲で何回放電、充電を繰り返すことができるか、という回数です。鉛蓄電池は歴史的な強みを誇っていますが、リチウムイオン電池はその2倍以上の能力を持っていることがわかります。「**エネルギーコスト**」とは、一定電力（1Wh）を得るために要するコストです。要するに、コストパフォーマンスが高いのはどれか、ということです。リチウムイオン電池は鉛蓄電池の1／10以下になっています。「**自己放電率**」とは、ムダに放電する電力を表わします。これは鉛蓄電池が最も優れています。リチウムイオン電池のいっそうの改良が待たれるところです。

全体にリチウムイオン電池の性能が高そうですが、レアメタルとしてのリチウムの価格変動が大きく響いてきます。リチウム価格が高騰すると、リチウムイオン電池の優位性は崩れる可能性もあります。

価格以外のもう一つのリチウムイオン電池の不安材料、それは安全性です。発火の危険性が繰り返し指摘され、実際に発火例がたびたび起こっています。この問題が完全に解決されない限り、リチウムイオン電池は現代社会を支える電池と胸を張ることはできないでしょう。

水素燃料電池の問題点

水素燃料電池は、環境を汚さないクリーンなエネルギー源として注目されています。しかし、問題点もいくつかあります。一つは触媒として白金を使うことです。白金は貴金属であると同時にレアメタルでもあり、資源が少なくて高価です。白金の価格は時価であり、年によって日によって変化します。

2021年3月現在、1g当たり4000円ほどですが、2019年1月には2900円ほどでした。わずか2年で40％も値上がりしたことになります。これだけ大きく変動すると、それを用いる水素燃料電池の価格も変動せざるを得ないでしょう。これは安定供給という面で大きな問題です。もっと入手しやすく、廉価な触媒を開発したいところです。

❶安全性

水素ガスはいうまでもなく可燃性、爆発性の気体です。水素燃料電池を用いるには、燃料電池と同時にこの水素ガスを傍らに置かなければなりません。自動車ならガソリンタンクの代わりに水素ガスタンクを積まなければならず、インフラとして水素ガスステーションを現在のガソリンスタンド並みに、街中に何か所も設置しなければなりません。自動車事故でタンクが壊れたら、爆発性のガスが周囲に漂います。

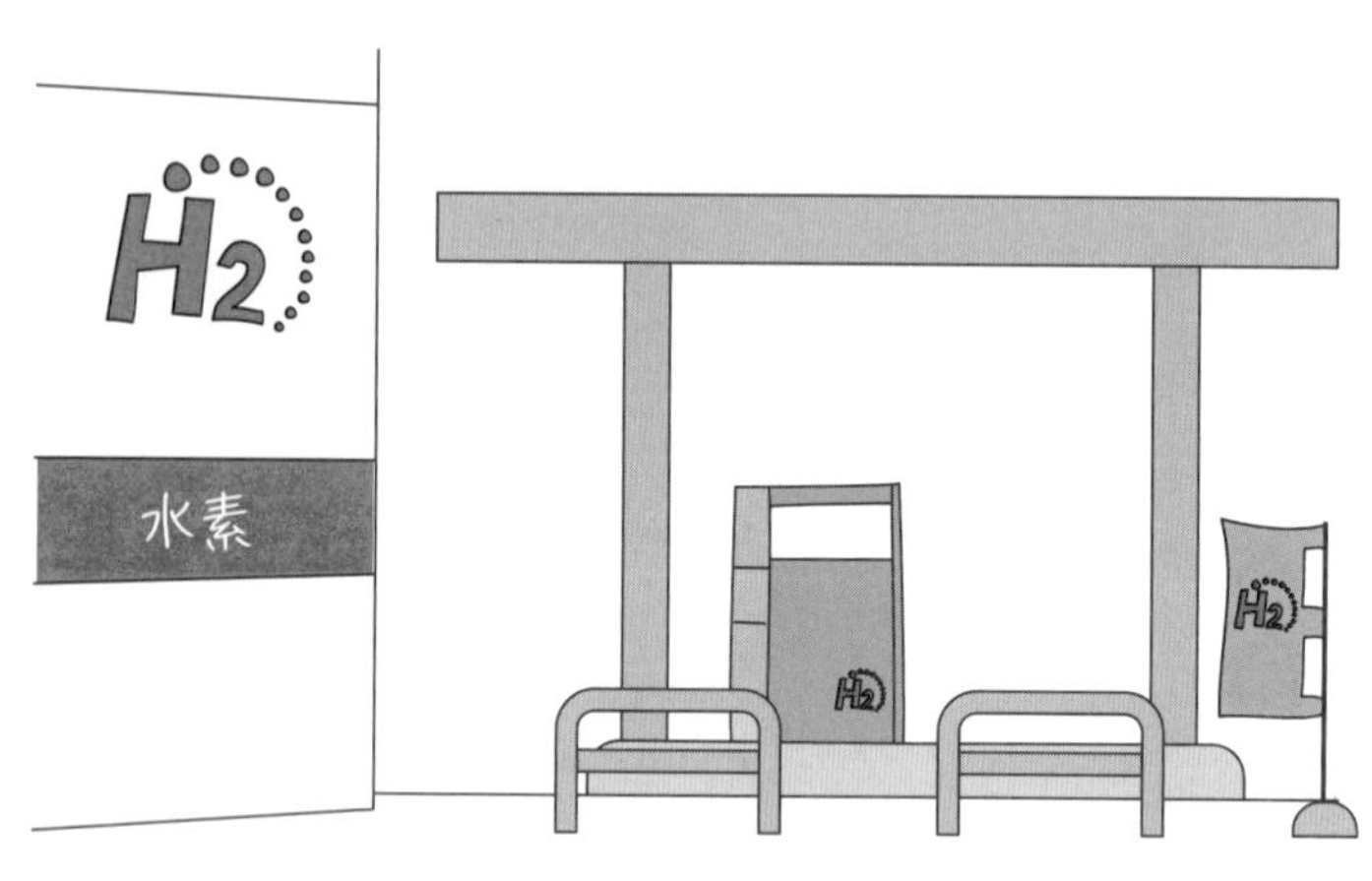

水素を燃料電池自動車に充填できる水素ステーション

また、水素は鉄と反応して鉄を弱くする作用があります。これを水素脆弱といいます。そのため、水素タンクに鋼鉄を用いるわけにはいきません。丈夫で耐圧性のあるプラスチック、あるいは炭素繊維のようなものでタンクをつくる必要があります。

水素燃料電池には宿命的な問題があります。それは燃料に使う水素ガスが自然界には存在しないということです。そのため、人為的につくり出さなければなりません。最も考えやすいのは水の電気分解で得るというものです。この場合、基本的な問題点は水素を水に変えて得られるエネルギー（水素燃料電池の発生するエネルギー）は、水を電気分解して水素を得るために使われるエネルギーと同じだということです。水素を水の電気分解で得るとしたら、そのエネルギーは他の発電装置、つまり火力発電とか原子力発電などで得なければなりません。

❷クリーン性

このように考えると、水素燃料電池＝クリーンエネルギーという謳い文句に疑問符がついてしまいます。すなわち、水素燃料電池を動かすためにはどこか別なところで電気エネルギーをつくらなければならないということです。それが火力発電ならば化石燃料の枯渇、二酸化炭素による地球温暖化など、現代の大型公害が頭をもたげます。また、原子力発電なら放射性廃棄物の問題、事故の問題等々、いい尽くされた感のある問題が未解決のまま横たわっています。すなわち、水素燃料電池の「クリーン」の背後には、このような「ダーク」な問題があるのです。

この問題を解決する究極の答えは、電気を再生可能エネルギーで賄うということです。洋上に基地を浮かべて風力発電をする、人工衛星の軌道に太陽電池を配置して発電をする、などの近未来的な話になってしまいます。

発電の形式	変換効率
水力発電	80~90%
火力発電	40~43%
風力発電	<59%
燃料電池	30~70%
太陽電池	5~40%
原子力発電	33%

各発電システムの変換効率

太陽電池の問題点

一般家庭で使う太陽電池はシリコン（ケイ素）を用いたものです。ケイ素は地殻中に酸素に次いで存在量が多い元素です。したがって、化石燃料のような資源枯渇の心配はありません。しかし、太陽電池に使うシリコンは高価です。その理由はあとに見ることにしましょう。

❶変換効率

太陽電池の一番の問題点は変換効率が低いということと、発電量が天候に左右されるということです。いくつかの発電システムのおよその変換効率は上表のようになります。水力発電の効率の良さには驚くばかりですが、太陽電池の低さにも驚かされるのではないでしょうか。騒がれている割にはよくありません。しかも、5～40%とバラツキが大き過ぎます。ただ、将来的には60%も可能といわれています。

❷価格

シリコン太陽電池が普及しにくい、もう一つの理由が価格です。先ほども触れましたが、資源としてのシリコン（ケイ素）は地殻中に酸素に次いで2番目に多いもので、枯渇の心配はありません。では、なぜ太陽電池は高価なのでしょうか？

それは、太陽電池素材として要求されるシリコンの純度が非常に高いからです。セブンナイン、つまり99・99999%と「9が7個も並ぶ純度」が求められます。しかし、電子デバイスに要求されるシリコン純度はさらに高く、イレブンナイン（99・999999999%）ですから、太陽電池はそれに比べれば大したものではありません。ということで、太陽電池は電子デバイス用としてはねられたものを用いるのですが、それにしても量が量だけに大変です。

シリコンは砂や土の成分、すなわち石英、酸化ケイ素として産出します。純粋のシリコ

太陽電池に必要なシリコンの純度は99.99999%

ンを得るには電気分解を用います。しかし、この方法で得られるシリコンの純度はいまだ95%程度に過ぎません。これを100%近くに持っていくためには、化学的、物理的な操作が必要になります。

しかも、太陽電池が必要とするシリコンは純度の高さだけではありません。「**単結晶**」である必要があります。単結晶というのは塊全体が一つの結晶ということです。すべての金属は結晶です。しかし、単結晶の金属はありません。すべての金属は細かい単結晶が集まった「多結晶」なのです。

例えば、ルビーは宝石です。その化学的組成は酸化アルミニウム（アルミナ）Al_2O_3であり、単結晶です。キッチンの黄色いお鍋の表面もアルミナです。しかし単結晶ではなく、多結晶です。多結晶ならお鍋ですが、単結晶になると宝石になるのです。雲泥の差ですね。

単結晶シリコンをつくるには高純度シリコンを加熱して融(と)かし、その中に「タネ」と呼ばれる単結晶シリコンを糸で吊るして入れ、それを徐々に引き上げていきます。すると、そのタネの下に単結晶シリコンが成長していきます。この方法は人造ルビーをつくるのと同じ方法です。つまり、太陽電池のための単結晶シリコンをつくるのは宝石のルビーをつくるのと同じ技術、労力、エネルギーを要するのです。そして、宝石にも等しい単結晶シリコンの塊を専用のノコギリで薄く切って基板をつくります。

シリコンの純度を下げるわけにはいきませんが、単結晶をどうにかしようとして考案されたのが**多結晶シリコン**です。これは金属と同じように細かい結晶が混じったものです。つくり方は簡単です。高純度シリコンを融かしたものを型に入れて固めるだけです。単結晶シリコンのノコクズをも再利用できます。

シリコンにかかる費用を抑えるにはシリコンの量を少なくすればよい。そのような発想

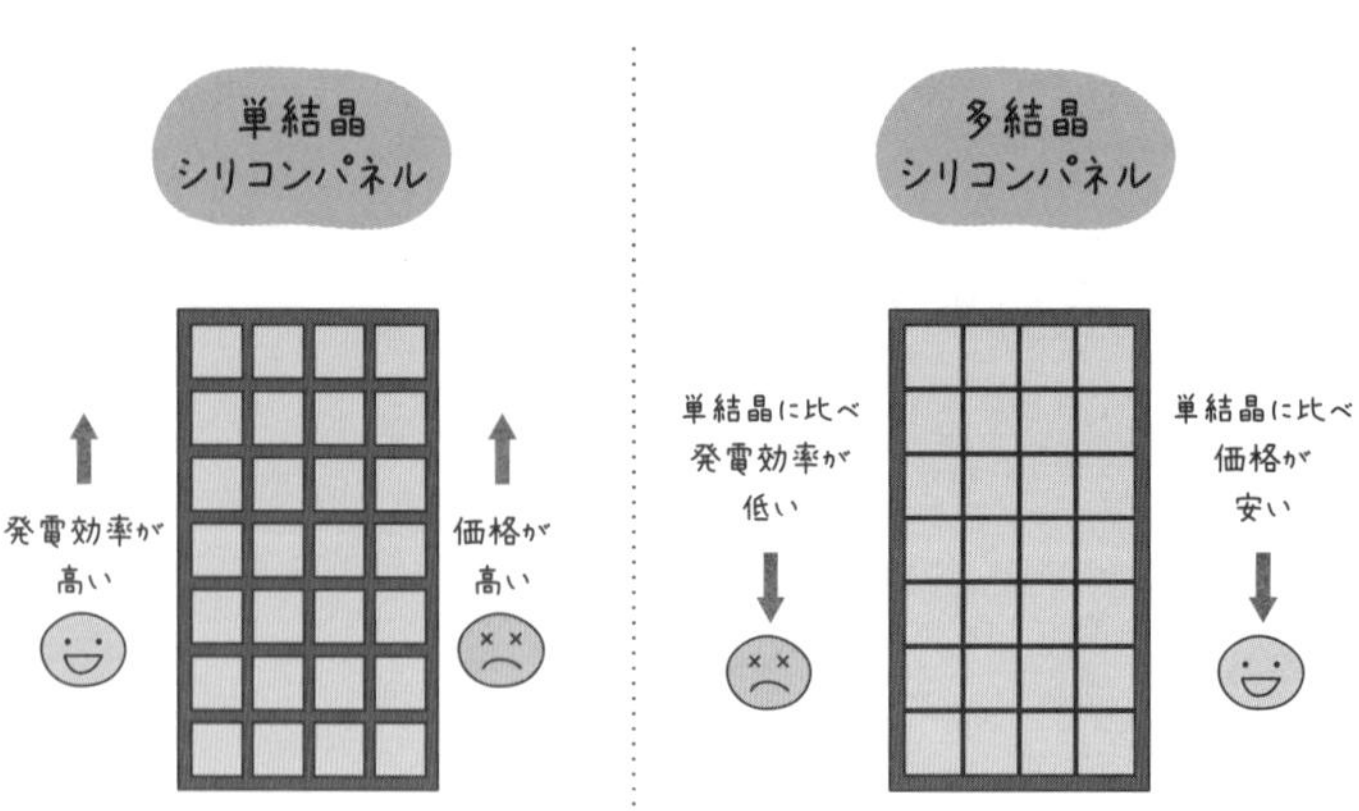

太陽電池のシリコン　単結晶と多結晶の違い

から出たのが、シリコンを薄い膜状にした薄膜シリコン、アモルファスシリコンです。これは電極の上にシリコンを真空蒸着したものです。

多結晶や薄膜状のシリコンを用いた太陽電池は、価格は安くなりますが、当然、性能は落ちます。変換効率は単結晶で20%、多結晶で15%、薄膜で10%以下とされます。太陽電池も、いつまでもシリコン太陽電池に固執している時代ではないのかもしれません。安い素材を用いて変換効率を上げる、そのような努力が強く求められることでしょう。

第5章

自然を利用した「再生エネルギー」

1

再生可能エネルギー

再生可能エネルギー

持続的な発展を願う人類の切り札であり、自然の力で定常的、あるいは反復的に、使った以上に補充されるエネルギー。

再生可能エネルギーとは？

最近、SDGs（持続的発展）という言葉をよく聞くようになりました。人類の発展繁栄が未来に渡って長く続くように、安定的に発展する世界をつくろうという考えです。この考えは人類のすべての営みに反映されます。エネルギーも例外ではありません。

持続的発展のためには、限りある地球上のエネルギーを大切に有効に使って、末永く保たなければなりません。決して一時の急激な発展、膨張のためにムダ遣いをするような真似はできません。この考えにともなって、**再生可能エネルギー**の価値がますます増大しつつあります。

まず、「再生可能エネルギー」とは何でしょうか？　一般にいわれる「再生可能エネルギー」には二つの意味があります。

①資源量としては有限だが、使ってもその分が再生産されるので、実際上、無尽蔵と考えることのできるエネルギー

②資源量が無尽蔵であり、人類がそれを利用し尽くすことがあり得ないエネルギー

言葉の本来の意味からいえば、再生可能エネルギーとは、「再生されることのできるエネルギー」のことなので、①を指すことになります。しかし、実際上は②を含んでいることも多くあります。要するに枯渇はもとより、減少も心配することのない、文字通り無尽蔵のエネルギーです。

ただ、まるで魔法のような②のエネルギーなどあるのでしょうか。実は、たくさんあります。代表的なのは太陽エネルギーでしょう。光エネルギーにしろ、熱エネルギーにしろ、太陽からのエネルギーは太陽が存続し続ける限りなくなることはありません。もちろん、太陽にも寿命はありますが、人間の時間感覚から考えれば、永遠と考えてよいでしょう。

ほかにも、風力エネルギー、水力エネルギー、波浪エネルギーなども無尽蔵ですが、これらは太陽エネルギーの変形と見ることができます。風も川の流れも、海洋の波も、もとはといえば、すべて太陽熱から起こる現象だからです。

地熱エネルギーは地球固有のエネルギーですが、これも実用上、無尽蔵と考えてよいでしょう。あとに見る潮汐（ちょうせき）エネルギーは月の引力にもとづくエネルギーですが、これも月が存在する限り、無尽蔵のエネルギーです。

①に相当するエネルギーの典型は、**植物の燃焼エネルギー**です。植物は切り倒して薪（まき）にして燃やせばなくなってしまいます。しかし、植物は燃えると二酸化炭素になります。二酸化炭素は地球温暖化の元凶になる悪者に見えますが、植物にとっては大切な肥料です。この肥料を利用して次世代の植物が育ちます。このように二酸化炭素は植物を利用して循環、再利用されています。つまり、植物の燃焼エネルギーも再生可能エネルギーの一つなのです。

2 水力発電は“高さ”を利用したエネルギー

水力発電

水が持っている「位置エネルギー」を利用した発電。

水はエネルギーの固まりです。高い場所にある水は大きな位置エネルギーを持っています。筏（いかだ）に組んだ巨大な木材を流すのも、水車を回して米をつくのもこのエネルギーです。船を浮かばせるのも水のエネルギーで、浮力と呼ばれます。深海で生じる、つぶされそうになる水の圧力も水のエネルギーです。

位置エネルギーを利用する水力発電

水力発電は、水の持っている**位置エネルギー**を利用した発電法です。川の水をせき止めてダムをつくり、そこから流れ落ちる水の勢いを利用して発電機を回して発電するものです。つまり、水力発電は「水の位置エネルギーの利用」ということです。

電池を除けば、電気を発生する装置は**発電機**のみです。これだけ科学が発達し、電気の需要が高まっている中で、電気を発生する装置が発電機しかないというのは不思議です。このような説明をすると、「原子力発電はどうなんだ?」と思われるでしょう。原子炉は科学技術の粋を集めた装置のように見えるかもしれませんが、その正体は〝お湯を沸かす装置〟に過ぎません。原子力の熱で沸かしたスチームを発電機のプロペラにぶつけて、発電機を回して発電しているのです。火力発電と何ら変わりません。

なお、水力発電は太陽のエネルギーを利用しているともいえます。川の水が流れるのは上流に雨が降るからであり、雨が降るのは海水が熱せられて水蒸気になり、それが風の力によって山岳地帯に運ばれ、冷えて水滴となって下降するからです。つまり大きな意味では、水力発電は太陽の熱エネルギーを利用した再生可能エネルギーなのです。

発電機のしくみと種類

発電機というのは、コイルの中で磁石を回転させると、コイル中に誘導電流が発生することを利用したものです。原理的には、車輪が回ると発電する自転車のダイナモと同じです。発電方法にはいろいろな種類がありますが、この磁石を回転させるエネルギーに何を用いるかの違いであり、原理的にはすべて同じことなのです。水流を用いれば水力発電、風車を用いれば風力発電、燃焼熱でつくった水蒸気を用いれば火力発電、原子力でつくった水蒸気を用いれば原子力発電ということになります。先ほどもいったように、原子力発電も火力発電の一種に過ぎず、蒸気で発電機を回しているだけなのです。

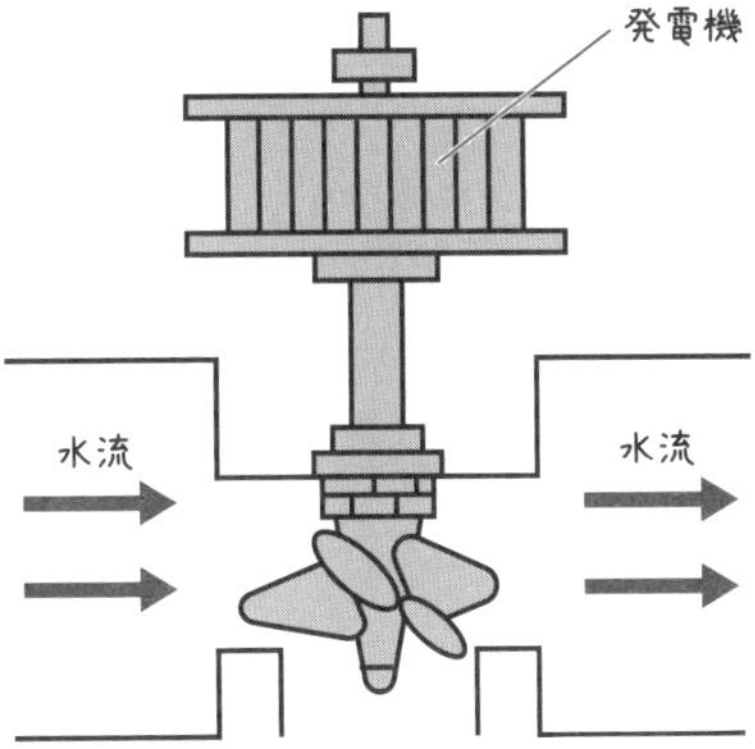

図は水力発電機の模式図です。下部のトンネルを流れる水が発電機のシャフトについた羽にぶつかり、その力で発電機を回します。水力発電には規模や方法によっていくつかの種類があるので見ていきましょう。

発電機
水流
水流

水力発電のしくみ

●自流式水力発電

川の水をそのまま発電所の水路に引き込んで発電するのが「自流式水力発電」です。豊水期や渇水期などの水量変化にともない、発電量も変わります。水を貯めることができないので、豊水期にはムダに水が流れて、渇水期には反対に発電量が少なくなるという問題点があります。しかし、他の方式の水力発電に比べて建設コストが抑えられるというメリットもあります。

●貯水式水力発電

最も一般的な水力発電の方式が「貯水式水力発電」です。川の途中にダムをつくり、大量の水を貯め、水の流れ落ちる勢いで発電機を回します。河川の水を完全にせき止めるため、水の流れを自在にコントロールでき、年間を通じて安定した発電が可能となっています。ただ、ダムを建設することによる周辺地域の水没や環境変化など、水力発電所の中では最も環境負荷が大きいという側面があります。

●揚水式水力発電

貯蔵することが困難な電力を安定的に供給することを目的としたのが「揚水式水力発電」です。いわば、大がかりな蓄電器のような施設です。使用量の少ない夜間の電力を利用して下部の水を上部に移動させ、電力需要の大きい昼にその水で発電します。

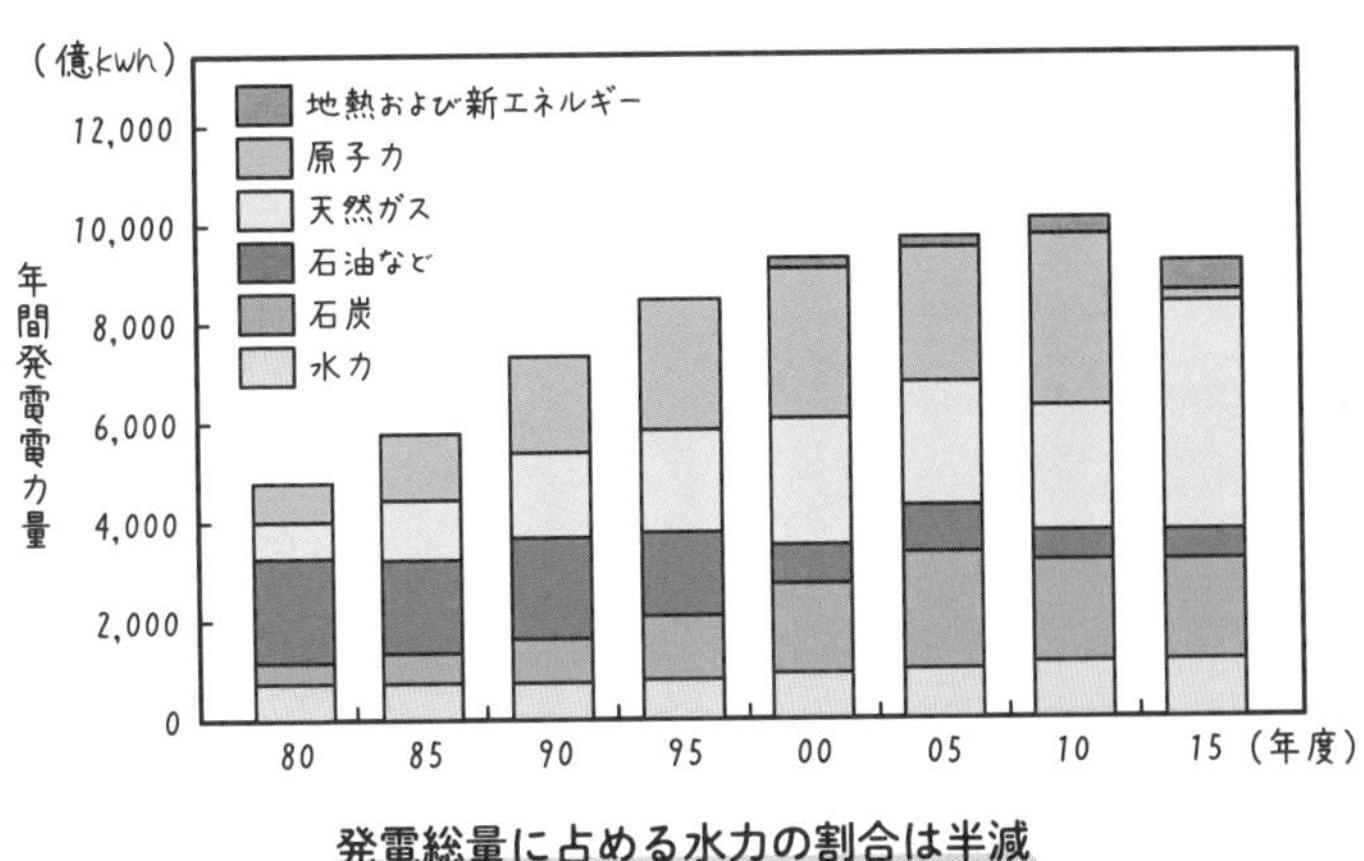

発電総量に占める水力の割合は半減

出所:経済産業省エネルギー庁「エネルギー白書2017」をもとに作成

注目を集める〝小規模〟水力発電

グラフを見ると、ここ30年で総発電量は約2倍になっていますが、水力発電の発電量(グラフの一番下)は大きく変化していません。つまり、総発電量に占める水力発電の割合は30年で半減したことを意味します。

では、水力発電は今後行なわれないかというと、決してそうではありません。水の豊富な日本において、水力は最も身近で使い勝手の良い自然エネルギーです。これを用いない手はありません。最近注目を集めているのは、かつての巨大ダムに象徴される大規模発電ではなく、昔の水車小屋のような小規模発電です。先ほど紹介した自流式発電などの小規模発電機を家の前を流れる小川に設置して、家庭用の電力を得ることも考えられます。

小規模発電化への障壁

水力発電は歴史のある技術だけに、技術的な問題はほぼクリアされているといってよいでしょう。小規模、地産地消など、太陽電池のコンセプトと似ています。ところが、思いがけない伏兵が現れました。それは、このような小規模発電のためにも自治体から河川水の利用という許可を得る必要があることです。その川の水を昔から農業用水や工業用水などに利用してきた人々の膨大かつ複雑な利害関係が錯綜(さくそう)しているからです。

特に、水田に大量の水を湛(たた)える必要のある日本の稲作農業では、水は命のように大切なものでした。一本の川の水のどの部分をどこの部落が使うかは、長い歴史を通じて厳格に定められ、守られてきました。それが今になり、新たな使用目的のために川の水を活用しようとすると、旧来の使用者の既得権益を侵害することになりかねません。そのようなことがないように、自治体に膨大な量の書類を提出する必要があります。ただ、簡略化の方向で見直しが行なわれているようなので、小規模発電が実現するのも近いかもしれませんね。

3

風力発電で台風エネルギーも使える？

風力発電

風の力でタービンを回し発電する装置。風力は、太陽の熱エネルギーがおおもと。台風発電など、様々なタイプがある。

風力発電は風の力を利用して発電しようというものです。風力エネルギーの利用は古くから行なわれています。風の力で航海する帆船は、典型的な風力利用です。日本では風車（かざぐるま）として（子どものオモチャですが）、オランダでは国土を護る重要な施設、つまり風車（ふうしゃ）として活躍してきました。

オランダの風車はどう役に立ってきた？

国土面積が少ないオランダでは、海を干拓することによって国土を増やしてきましたが、海面以下の低地に溜まった水は堤防を越えて海に排出しなければなりません。その動力源となったのが風力であり、風車なのです。そのほかにも、風車は各種動力源として日本の水車と同じようにオランダの産業に欠かせな

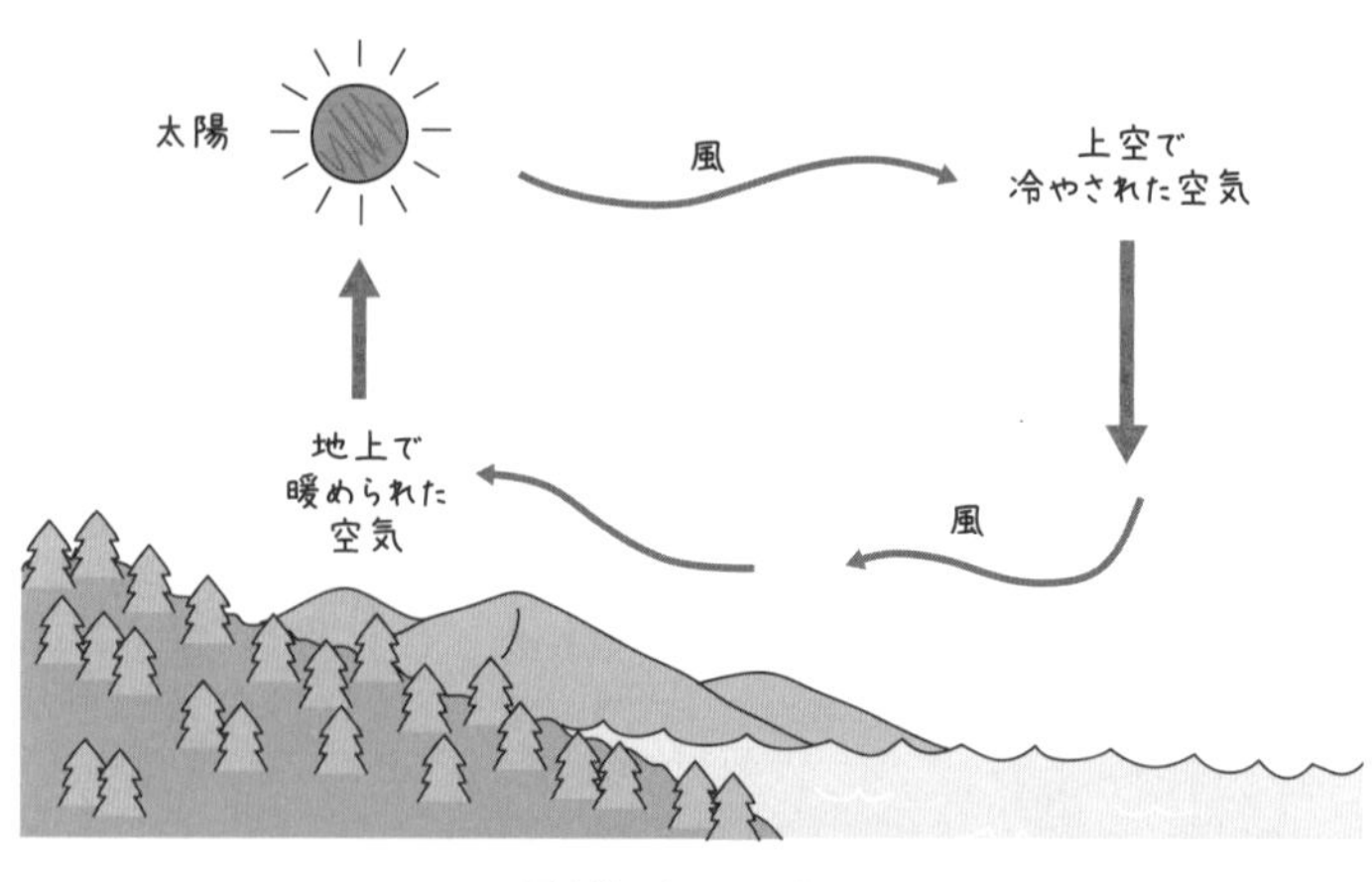

風が起きるしくみ

いものとして活躍しました。

風力は太陽エネルギーがおおもと？

風力発電は「風の力」を利用した発電ですが、風はなぜ発生するのでしょうか？ 風というのは空気の動きです。なぜ空気が動くのかというと、それは地球表面の熱のせいです。太陽熱によって地表のある部分は熱せられて熱くなり、上昇気流が起こります。上昇した大気は上空で冷やされて、下降気流となって地表に戻ります。このような動きが基本となって風が起こるのです。

したがって、風力というのは、結局は太陽の熱エネルギーです。水力発電にせよ、風力発電にせよ、自然を利用した再生可能エネルギーの多くは、太陽エネルギーの利用になっているのです。

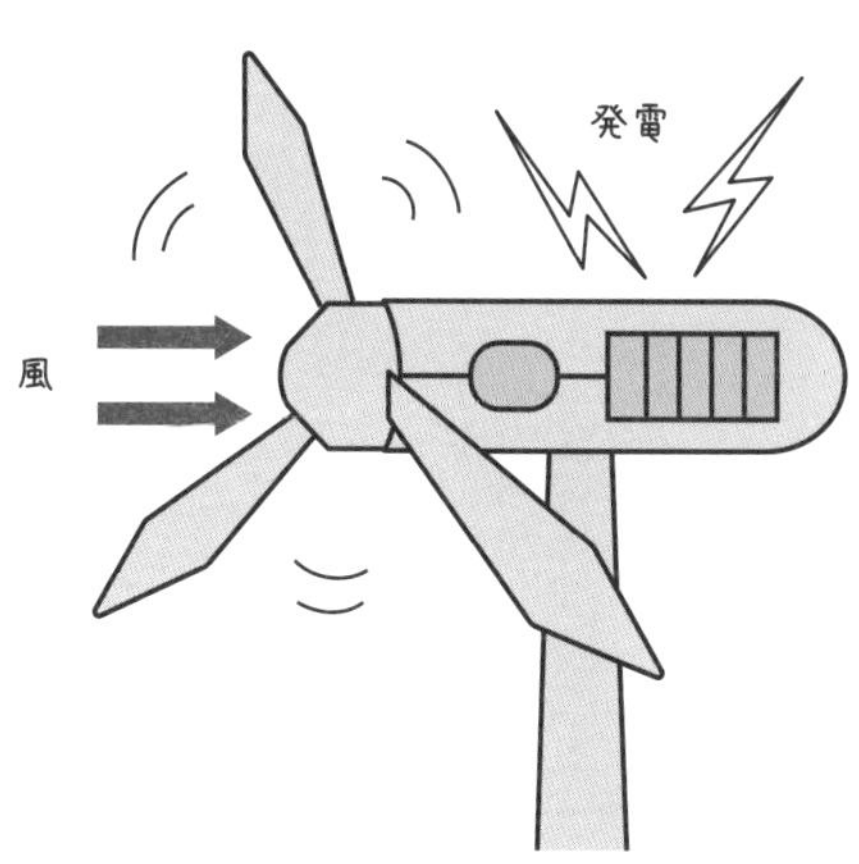

風力発電の原理

風力発電のしくみは？

風力発電の原理は水力発電と同じように単純明快。発電機にタービンの代わりに風車をつけただけです。風が当たれば風車が回って発電が起こり、風が止まったら風車も止まって発電しない、というしくみです。

そもそも、発電量が天候に左右されるのは太陽光発電も同じであり、自然エネルギーを利用する際の宿命です。このような不都合を解消するには大容量の蓄電装置を備えることです。電気エネルギーの一番の問題点は保存が効かないことです。そのためにも大規模高効率の蓄電装置の開発が待たれています。

最近の自動車は内燃機関（エンジン）とともに電気駆動力（モーター）を用いたハイブリッド型が導入されています。ハイブリッド型の自動車には蓄電池という電力の貯蔵装置が内蔵されています。不必要な時に発電された電力を保管するためにこれを利用しない手はない、ということで開発されたシステム的な有効利用法がアメリカの**スマートグリッド**です。これは、小規模な蓄電池を大量に用意することに相当します。

風力発電装置は大きいものから小さいものまで各種あり、小さいものでは家庭のベランダに設置できるものもあります。風力発電の電力も余剰分は太陽電池の電力と同じように電力会社に買い取ってもらえるので、家庭風力発電は今後増えることが期待されます。

商業ベースの大きな風力発電機では、ブレード（翼）が高さ数十メートルの塔に設置された大風車があります。日本では風力発電の開発が遅れたので、初期の風力発電装置は欧米からの輸入品が主でした。風力がほぼ一定の風が吹き続ける欧米に対して、季節風や台風の影響を受ける日本では時折非常に強い風が吹きつけるため、鉄塔や風車が破壊される

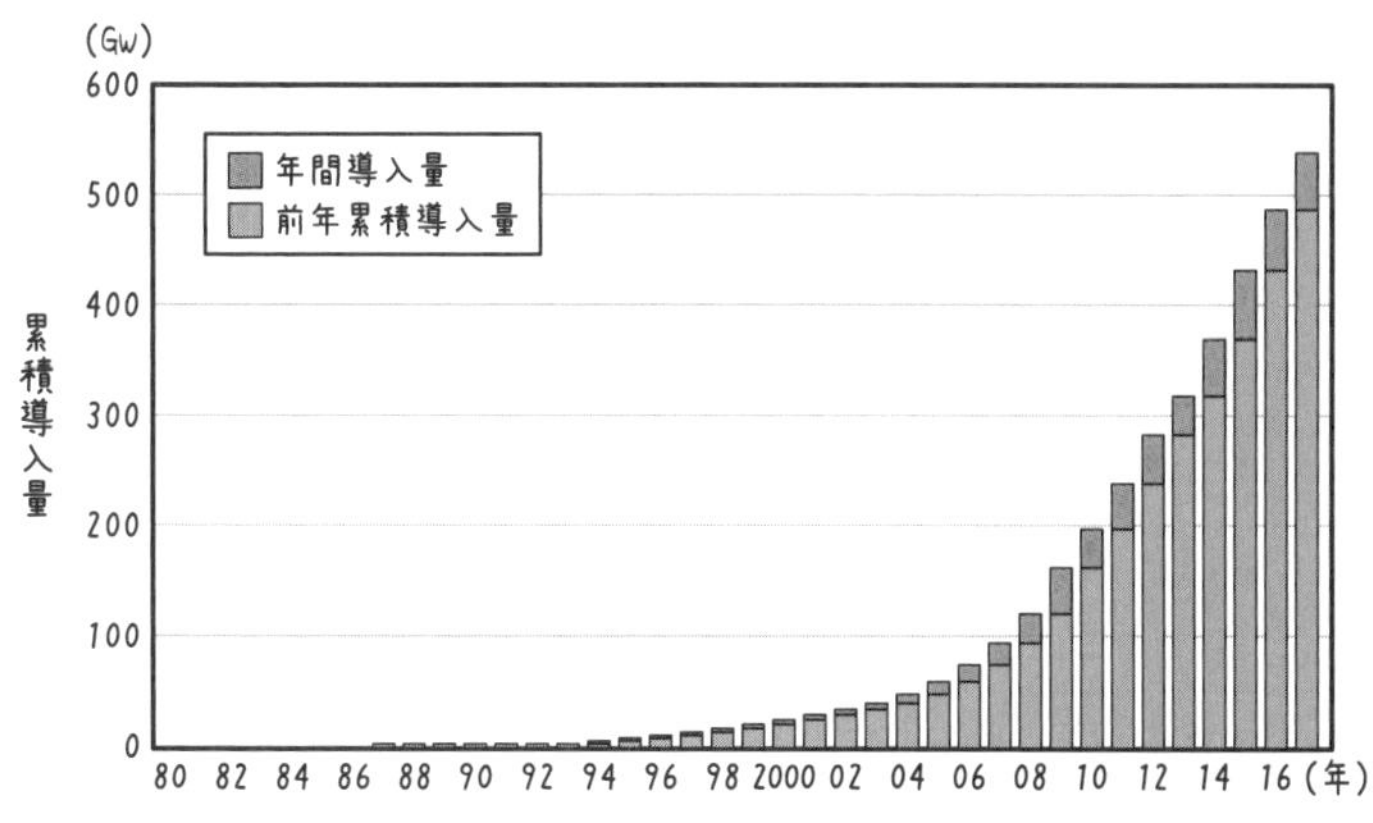

世界の風力発電の導入量

出所:世界風力エネルギー会議データより作成

などの事故もありましたが、改善されてきたようです。

最近は、大規模風力発電装置は海上に設置することが多くなりました。その場合、ヨーロッパのように遠浅の海が広がる地域では風車の鉄塔を海底に設置することが可能です。しかし、日本のように海岸を離れるとすぐに深くなるような海では、海底に鉄塔を埋設することは困難です。解決策として出てきたのが浮遊式の設備です。巨大な筏の上に巨大な風力発電装置を設置するのです。

風力発電の導入量の推移には目を見張るものがあります。グラフは世界における風力発電量の年次変化です。急激なうなぎのぼりです。世界的には、風力発電が自然エネルギー発電の雄として有力視されていることがよくわかりますね。

垂直型の風力発電機

一般的に見る風力発電機はプロペラ式の飛行機のように、プロペラの回転軸が地面に対して水平になっていますが、回転軸を垂直にした風力発電機もあります。この形のものは風の方向に関係なく発電することができる、狭い場所で使用できるなどの利点があり、ベランダでの風力発電などに使用できるとされています。

●サボニウス型風車

垂直軸型風車の代表で、発明者であるフィンランド人の名前をとったものです。図のように、半円筒形の羽根2枚で構成され、左右の羽根を互い違いに円周方向に多少重なり合う部分を残し、ずらして組み合わせます。したがって、二つのバケット（半分割された円筒）の間を通り抜ける風が、反対側バケットの裏面に流れ込むようにすることにより、回転方向に押す作用と向かい風の抵抗を抑える力となり、回転効率を上げています。この風車は回転数は低くなり、音は静かです。また風向に関係なく回転させられるというメリッ

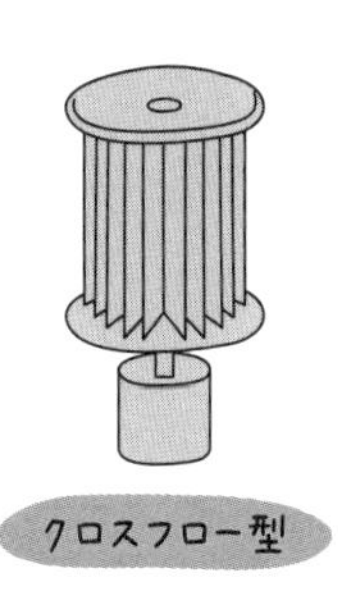

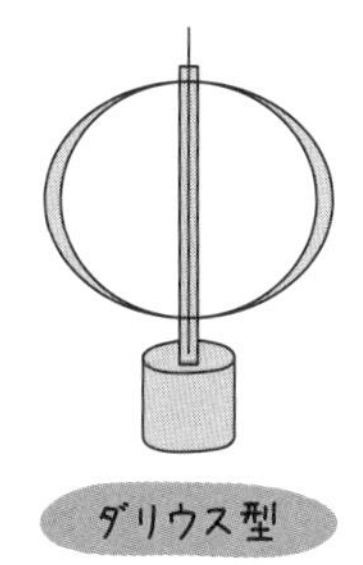

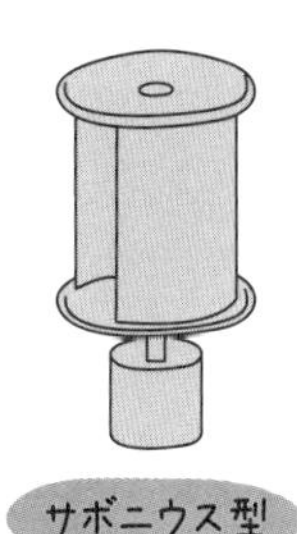

垂直型の風力発電機

トがあります。

●ダリウス型風車

これも発明者の名前をとったもので、比較的新しい風車です。羽根は2~3枚が使用され、回転数が非常に大きくなるという特徴があります。また、風向に無関係なため方向舵が不必要ですが、停止状態で風から得られるトルク(起動トルク)は極めて小さいため、自力での回転開始が難しいという問題があります。そのためモーターで起動したり、サボニウス型風車と組み合わせたりして、起動性能を向上させる工夫が試されています。

●クロスフロー型風車

細長い湾曲状の羽根を、上下の円板外周縁部に適度な角度をつけて等間隔に多数設け、外部の風が羽根の隙間から内部空洞部を貫流して、反対側(風下)の羽根の隙間から外部へ排出しつつ、一定方向に回転する風車です。全方位からの風を受けて回転します。回転速度が低いので、トルクは大きく、騒音は極めて静かです。

「台風発電」は切り札になるか？

日本の暑い夏が終りになる頃、必ず顔を出すのが台風です。台風が日本列島に莫大な被害を及ぼすのは、そのエネルギーが膨大であることの証明です。台風の巨大エネルギーの一部だけでも発電に役立てられないだろうか、と思うのは当然です。

しかし、現在の「プロペラ式風車」では、台風のような強い風にはまったく役に立ちません。なぜなら、風が強くてプロペラの回転数が上がり過ぎると、ブレード（羽根）を破損したり、最悪の場合は風車ごと倒壊してしまったりするからです。そのため、強風時はブレードの角度を変えて風を受け流したり、プロペラの回転を止めたりなどして危険を回避しなければなりません。

そこで着目したのが「**マグナス効果**」です。マグナス効果とは、回転する物体が風を受けると、風向きに対して垂直の力が働く流体力学的現象のことです。野球のピッチャーが

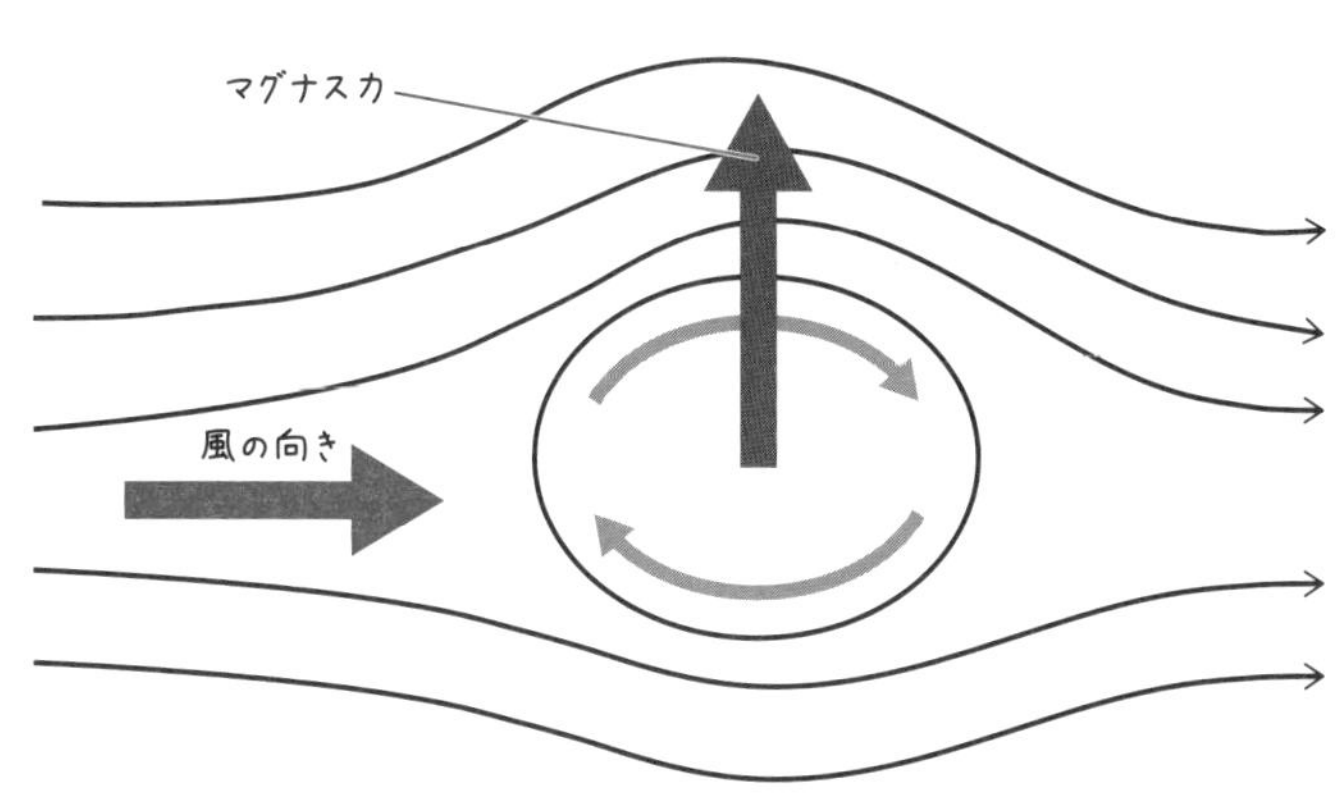

台風発電のマグナス効果のしくみ

ボールに回転をかけて投げると、カーブやシュートになってボールの軌道が曲がります。これがマグナス効果なのです。

図のように、円筒や球を回転させると、マグナス効果で受ける風の向きに垂直なエネルギーが発生します。ただし、このタイプは円筒を自力で回転させるための電力を消費するので、発電した電力から消費した電力を差し引くことになります。

このマグナス効果によって発生したエネルギーを発電に使おうというのが、台風エネルギー利用のアイデアの発端だったといいます。特許の関係などもあって技術的な詳細は紹介できませんが、試作品はすでに実証済みで、

２０１６年には出力１kw機が完成し、２０１８年には出力10kw機が試験中といいます。

発電能力10kw機は、プロペラ式風車でいうと小〜中規模の直径５mクラスに相当します。一方、マグナス型では直径１mの円筒３本で稼働します。また、荒天時にも発電できるため、稼働時間をより長く取れるのが特徴です。近い将来、台風やハリケーンのエネルギーまでをも電気エネルギーに換えることのできる風力発電が実現するかもしれませんね。

4

埋蔵量世界3位の日本の地熱発電

地熱発電

地熱を利用した発電。日本は資源量だけで見れば米国、インドネシアに次ぐ世界3位だが、適した土地は国立公園内で、行政の許可が問題。

温泉は天然の湯沸かし器です。環境省の平成30年度温泉利用状況によると、日本では全国に2982か所の温泉地と2万7283の源泉があるそうです。つまり、日本の自然界にはこれだけの数の湯沸かし器が存在しているのです。このエネルギーを発電に利用したい、ということで始まったのが**地熱発電**です。

地球は融けた溶岩の塊だ!

地球は直径約1万3000kmの球ですが、構造は重層構造になっています。一番外側は地殻(いわゆる大地のこと)ですが、この厚さは30kmに過ぎません。リンゴにたとえれば、外側の赤い皮ほどの厚さもありません。

また、その内側の白い実の部分は地球でい

えばマントルです。マントルは簡単にいうと溶けた溶岩です。温度は地殻に近い部分でも2000~3000℃、地球の中心部分では6000℃になるといわれています。この温度は太陽の表面温度と同じです。この溶岩の上に乗っているのが大陸、いわゆるプレートです。プレートは長い年月の間に移動して、ぶつかり合って大地震を起こしたり、大陸を海中に引きずり込んだり、新しい大陸をつくったり、といった壮大なスケールのプレートテクトニクス理論を打ち立てることになるのです。

なぜ、地球の内部はこんなに熱いのでしょうか？　地球が誕生したのは今から46億年前といわれます。この時、地球には多くの隕石が降り注ぎ、その衝突エネルギーによって地球の岩石は融けて灼熱の溶岩状になったといいます。しかし、現在の地球内部が熱いのはこの時の熱が残っているからではありません。そのような熱は、長い年月の間に宇宙空間に放出されています。

にもかかわらず地球が現在も熱いのは、なぜでしょうか？　それは地球が巨大な原子炉だからです。地球内部ではウランやラジウムなどの各種の放射性元素が存在します。これらの原子が原子核崩壊を起こし、放射線とともに巨大な熱エネルギーを放出しています。

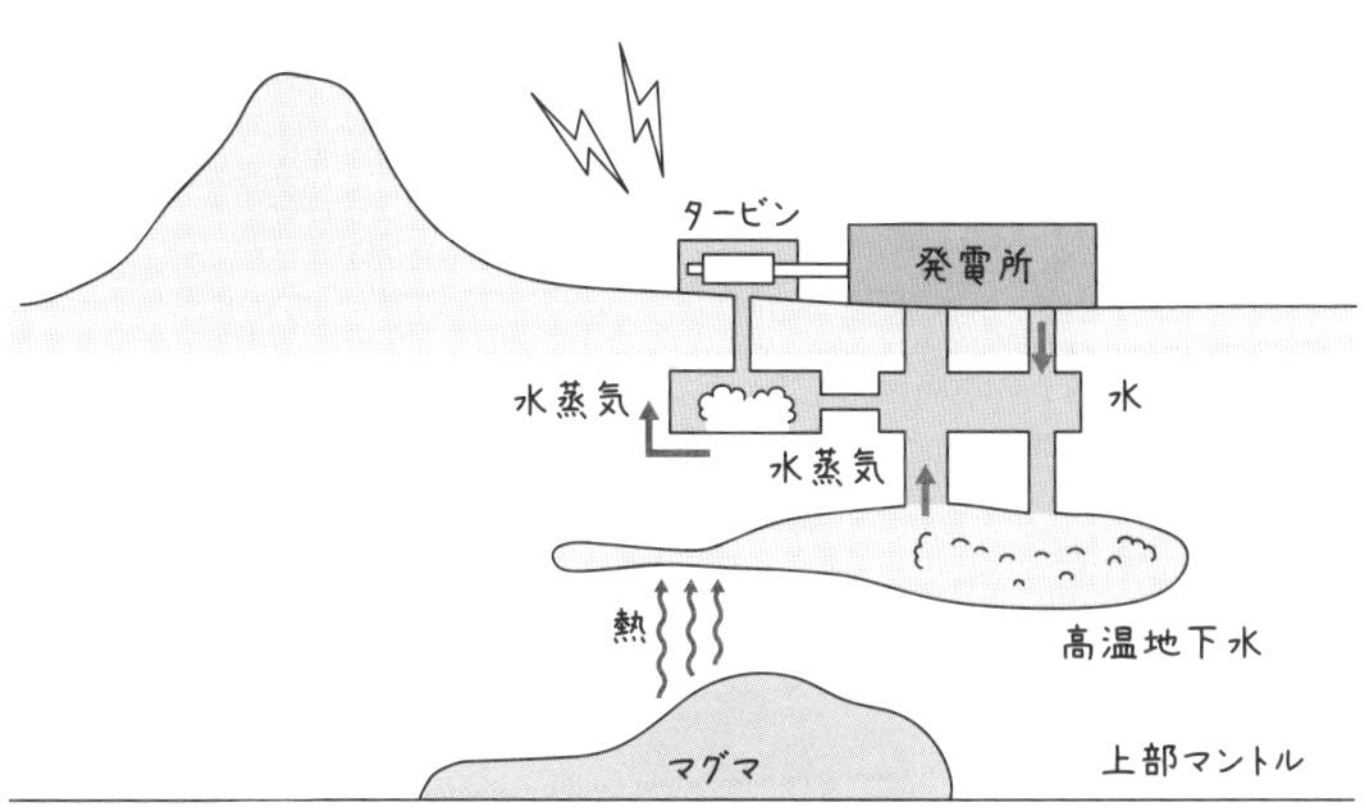

地熱発電のしくみ

この熱エネルギーが溜まって、現在の地球の内部をつくっているのです。

先に自然界の再生可能エネルギーの多くは太陽エネルギーの変形であるといいましたが、地熱発電は珍しくも太陽の力を借りず、地球自身のエネルギーを利用したものなのです。

地熱発電に立ちふさがる壁

図は理想的な地熱発電の模式図です。地表から地球深部に穴を掘ってポンプで水を送り、それが地熱で温められて発生した水蒸気を回収し、それで発電機を回して発電します。冷却した水は、また深部に送り込むというしくみです。つまり、一定量の水を発電機と地下の熱源の間を循環させるだけですから、地球

の熱以外の環境には手をつけないのです。

しかし、実際に行なわれている方式はこれとは少々異なります。現在の方法は、井戸を掘って地下から噴出した天然の高温水蒸気を採集し、それで発電機を回したあと、冷却された水（水蒸気）は排水として環境に流し出すか、ポンプで地中に戻すというものです。もとの地層ではなく、かなり浅い地層に戻します。

したがって、地下の水蒸気はいわば使い捨てとなっています。温泉利用と同じことです。少々の水量ならば、地下水が巡り巡って高温の地下に行き、また加熱されて水蒸気になるでしょう。しかし、大量の水を使ったら、高温水蒸気だけでなく、地下水そのものの枯渇、あるいは地盤の変化など、深刻な環境問題が起こる可能性があります。

温泉王国日本には、温泉掘削の長い歴史と技術があります。そのため、地熱発電の技術でトップを走っています。ニュージーランドは、ほとんどの電力を水力発電と地熱発電でまかなっていますが、地熱発電所は日本の技術によって地下または半地下に建設されています。このことからも、日本の地熱発電技術は世界トップレベルといえます。

東北と九州に多い地熱発電所

では、日本では地熱発電が盛んか、といわれるとそれほどでもありません。日本の地熱発電所は火山帯や地熱地帯の分布から、東北と九州に集中的に建設されています。全国の地熱発電所の発電出力を合計すると、約54万kW、世界ランキング（２０１８年）の第10位に過ぎません。

国内の地熱発電所が少ない原因の一つが、小規模水力発電と同じく「行政の壁」です。地熱発電を行なうには地下の高温部分が浅いところにあったほうが有利です。そのような場所の多くはすでに温泉として利用されているか、国立公園などに指定されています。国立公園では草木一本採集するにも許可が必要で、まして恒久の発電施設を建設するのは至難の業です。ということで、建設のためには膨大な書類手続き上の問題が発生し、なかなか許可が下りない、ということになるようです。

国立公園での開発と温泉地域との共存が進んだ場合、地熱発電能力は約1000万kw（最新火力発電の約20基分）となり、電力量では全体の1割を占めるという試算もあります。水力発電の問題見直しが進み、早晩手続きが簡略化されそうですので、地熱発電でもそのようになれば、一挙に拡大するかもしれませんね。

マグマ発電という可能性も

さらに将来の構想として検討されているのが、マグマ溜り近傍（きんぼう）の高熱を利用する**マグマ発電**です。これは大深度地下にある、火山の原因になっているマグマの近傍に存在する高温高圧の水を利用するものです。開発に少なくとも50年はかかるといわれていますが、潜在資源量は6Tw（テラワット）（6000万Mw（メガワット））に及ぶと見積もられ、これを用いると日本の全電力需要の3倍近くを賄えるだろうといわれています。

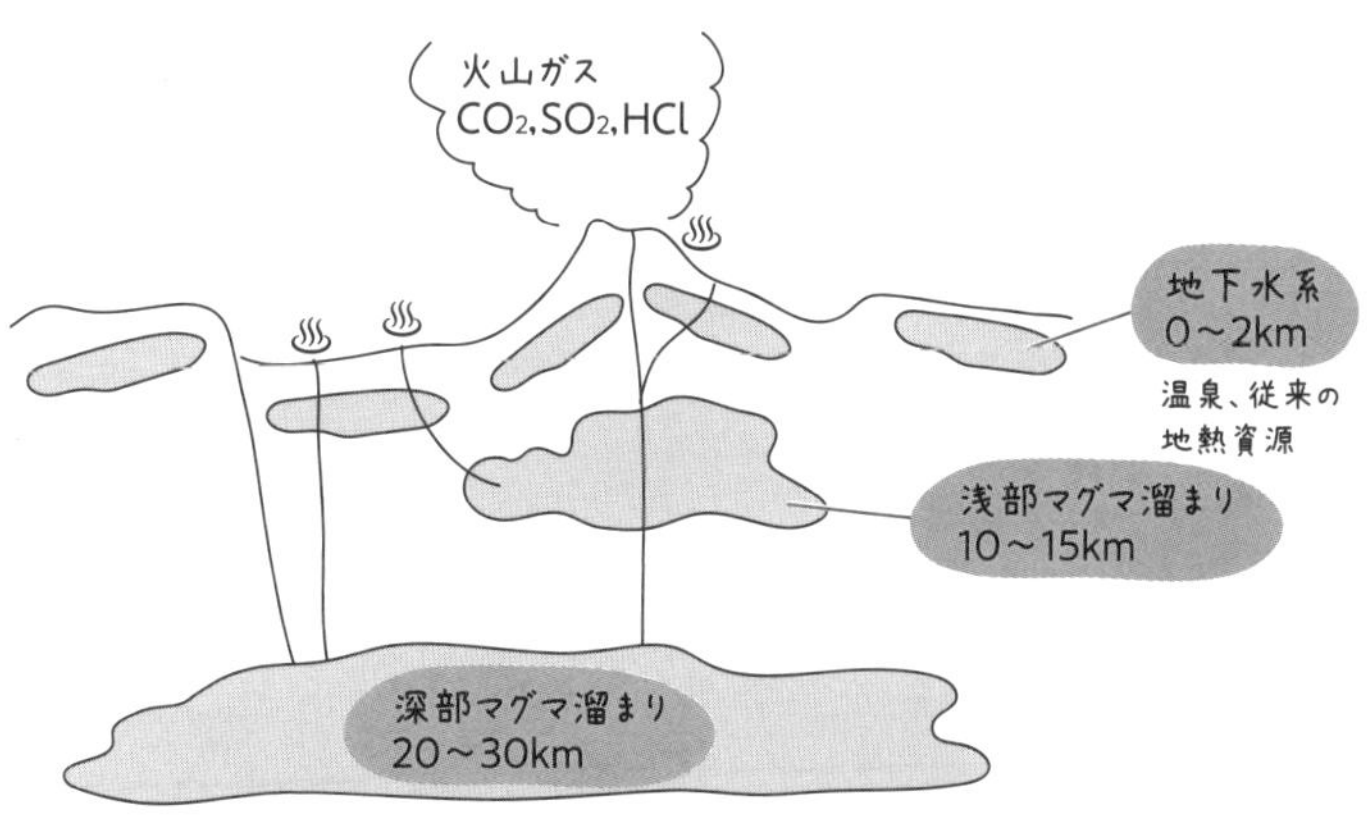

マグマ溜まりの地下水が噴出

２００９年にアイスランドで、マグマを研究するため大深度の井戸を掘っていたところ、予期せぬところから４５０℃という高温高圧の水蒸気が吹き出し、関係者が驚いたという事件がありました。これは本来の深部マグマ溜まりよりはるかに浅いところに存在する、浅部マグマ溜まりの地下水が噴出したものでした。

これを利用すれば、３万６０００kWの発電ができる熱量だったということです。本格的に深部マグマ溜まりを利用する前に、この浅部マグマ溜まりを利用する地熱発電が動き出すかもしれません。マグマを利用した発電は項をあらためて、超臨界水発電として見ることにしましょう。

5

バイオエネルギーは貧困国の食物からつくる？

バイオエネルギー

生物（バイオ）の持つエネルギーを利用したもの。枯渇しない資源として注目されているが、問題点も。

バイオエネルギー、あるいはバイオマスエネルギーはその名の通り、生物のエネルギーであり、人類がその歴史の最初の段階から利用し続けてきたエネルギーです。焚火のように枯れ草や枯れ枝を集めて火を燃やすものは、バイオエネルギーを熱エネルギーとして利用したものといえます。

狩猟、農耕が始まってからは馬を移動手段に用い、牛を農耕手段としましたが、これは生物を機械エネルギーとして用いたことになるでしょう。このように歴史の古いバイオエネルギーですが、最近、再生可能エネルギーという新しい観点から、その価値が見直されようとしています。

カーボンニュートラルな燃料

現在話題になっているバイオエネルギーは、熱エネルギー源としての生物資源です。バイオエネルギーを生物由来のエネルギーと考えれば、生物の遺骸の化石とされる、石炭、石油、天然ガスを代表とする化石燃料もバイオエネルギーというべきでしょう。そうであれば化石燃料も再生可能エネルギーか、ということになりそうですが、化石燃料は再生可能エネルギーには含まれません。

石炭の可採年数は約130年（2018年末時点）ほどといわれています。たしかに、今の調子で採掘、燃焼が続けば、いつの日かすべての石炭は掘り尽くされてしまうでしょう。したがって、石炭は無尽蔵でも、再生可能でもないのです。

では、木材（薪）はどうでしょうか。木材はつい先ほどまで緑滴る植物でした。植物は極小の種が水と二酸化炭素を原料として成長したものです。この木材が燃焼して二酸化炭素と水になったとしても、次の世代の種がこれらの二酸化炭素と水を原料として再度、薪に成長してくれます。植物の生長は「種→木材→種→木材」の繰り返しの連鎖であり、その意味で再生可能エネルギーなのです。

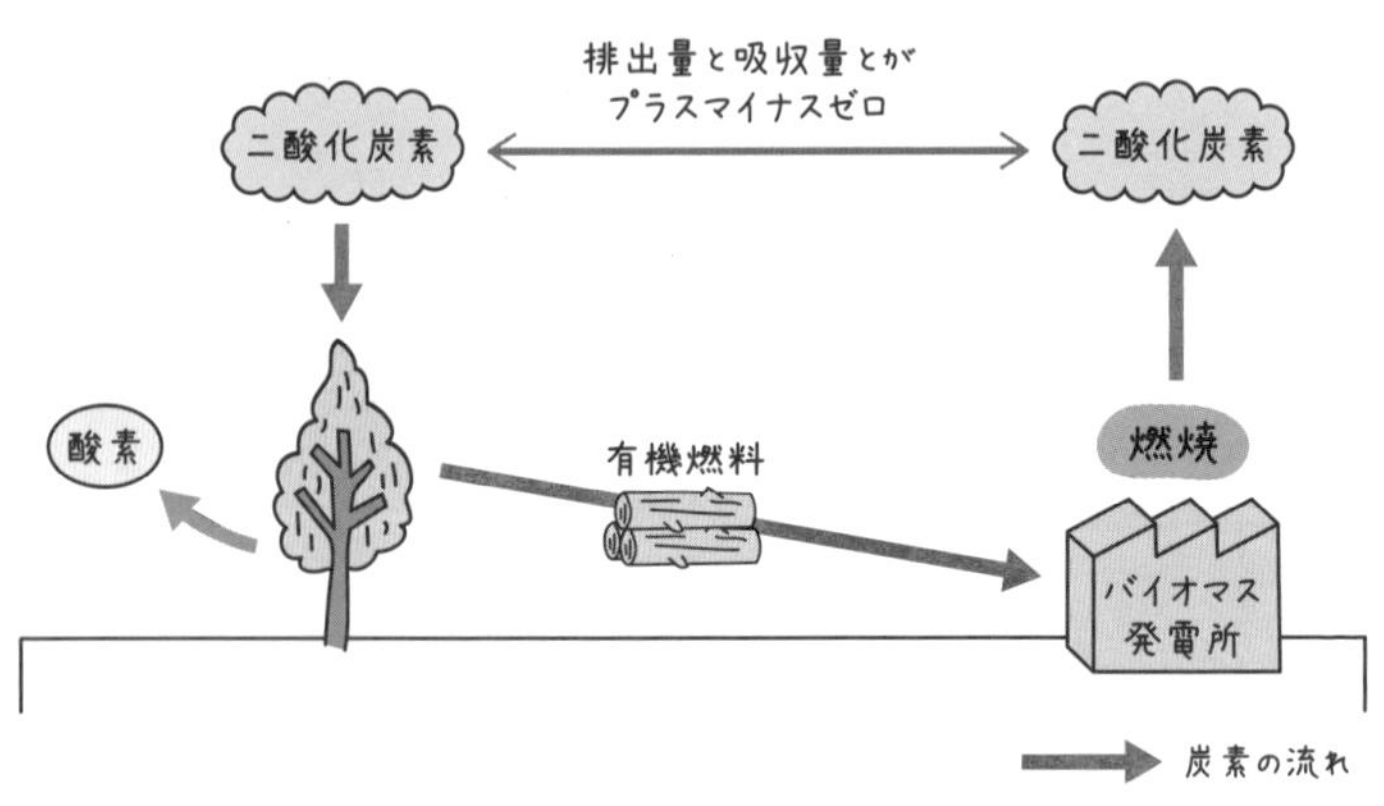

バイオエネルギーの利用サイクル

このように、木材は燃焼で発生した二酸化炭素（炭素、カーボン）を繰り返し使用するので、使用にともなって二酸化炭素の量を増やすことがありません。この意味で、**カーボンニュートラル**（ライフサイクル全体で見て、二酸化炭素の排出量と吸収量とがプラスマイナスゼロの状態のこと）な燃料といわれることもあります。

いろいろなバイオエネルギー

バイオエネルギーには多くの種類があります。主なものだけでも木材燃焼、メタン発酵、アルコール発酵などがあります。メタン発酵は、生物体を嫌気性条件下で細菌によって分解発酵させ、メタンガス CH_4 を得るものです。メタンは天然ガスの主成分でもあり、その利用法は確立されています。

メタン発酵法の利点は、その利用可能な原材料の多様さにあります。有機物ならば、栽培植物はもちろん、食物産業や家庭から排出される生ゴミ、さらには家畜の糞尿など、利用できないものはありません。現在、不要物どころか、厄介物として廃棄するのに困っているような廃棄物が将来、貴重なエネルギー資源として見直される可能性が大きいのです。

バイオエタノールは植物をアルコール発酵させて二酸化炭素とエタノールにし、エタノールを燃料としてガソリンなどの代わりに用いるというものです。すでに商業ベースで利用されています。

また、第2章で見た石油生成細菌のつくる石油（炭化水素）もバイオ燃料の一種と考えられます。最近では、単細胞生物のミドリムシも石油に相当する油分を生産することが明らかになっています。この油分はそのままで航空機の燃料として用いることができるほど良質です。

このような石油相当の油分を生合成する微生物は、これからもいろいろと発見されるでしょう。それは、ペニシリンの特効性に刺激されて新規抗生物質の発見が続いたのと同じ現象といえるかもしれません。生物、バイオはまだまだ人類の知らない実力を隠し持っているはずです。

プラスチックは優秀な燃料になる！

プラスチックの公害が問題になっています。丈夫で長持ちというプラスチックの長所が裏目に出たのがプラスチック公害の一面です。環境に投棄された廃プラスチックは、いつまでも残留し続けます。環境の美観を損なうだけでなく、海に漂うプラスチックフィルムを海棲動物が食べて健康を損ないます。

さらにプラスチックが砕けて、直径数マイクロメートルという微細粒子となったマイクロプラスチックはプランクトンのような小動物の体内に入り、やがて食物連鎖を経て人間の体にプラスチック成分が入ってくることも考えられます。

使用済みのプラスチック製品をどのように処理するかは現代の大きな問題です。解決策

プラスチック処理の3R

として上げられるのが3R、つまり、節約(Reduce)、再使用(Reuse)、循環(Recycle)です。

リサイクルには三つの方法があります。物質リサイクル、化学リサイクル、熱リサイクルです。物質リサイクルはプラスチックを回収して溶かして別の製品にすること、化学リサイクルはプラスチックをもとの原料に化学分解して再びプラスチックに化学合成すること、熱リサイクルはプラスチックを燃料として燃やしてエネルギーを利用することです。

つまりプラスチックの熱リサイクルは、もともとはバイオマスであった生物資源が変形した石油からつくったプラスチックを燃やす

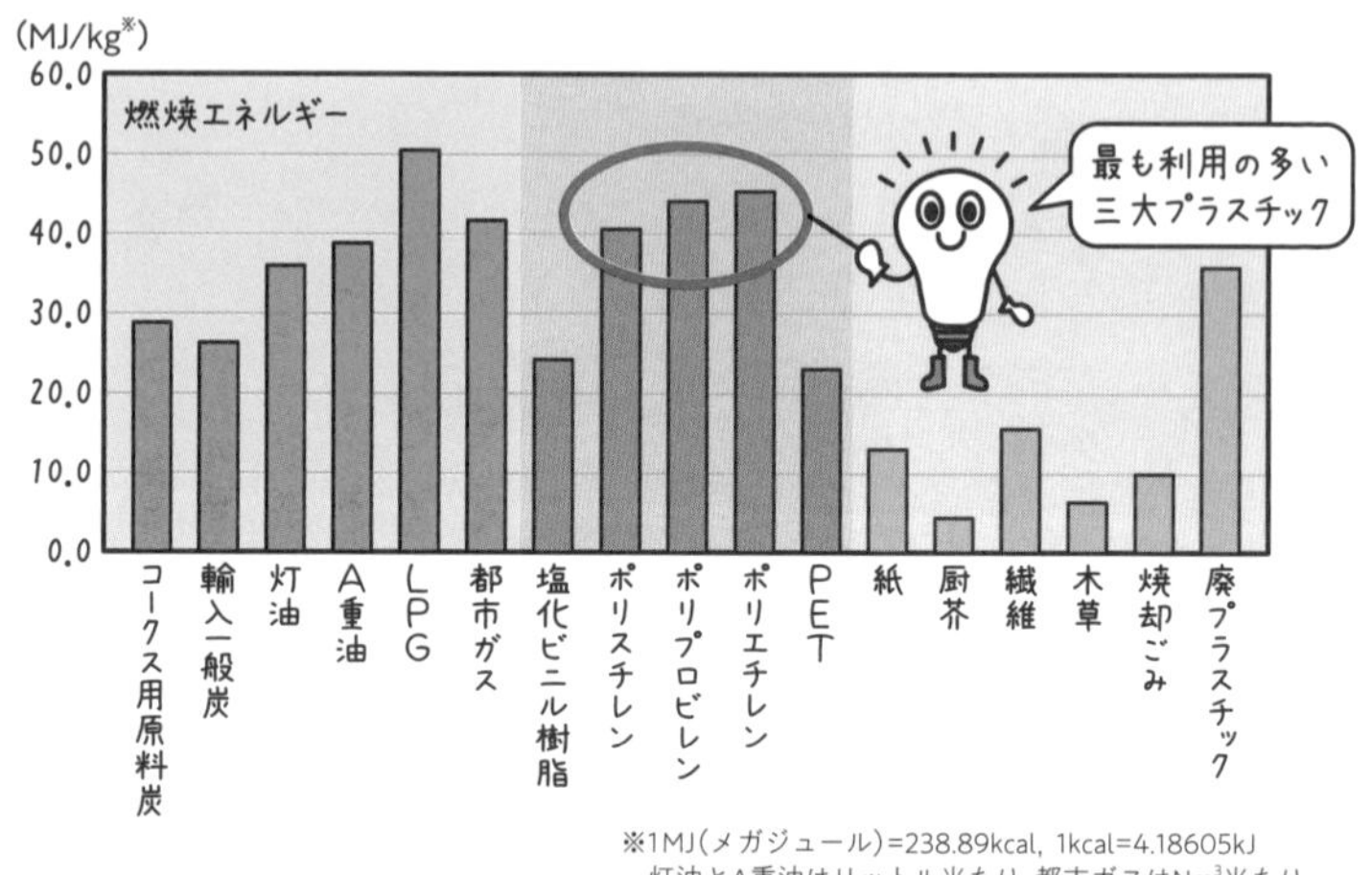

プラスチックの燃料効率は高い

ということで、これも一種のバイオマスエネルギーと見ることができます。

物質リサイクル、化学リサイクルは、百種類以上もあるといわれるプラスチックを種類ごとに完全に分別・洗浄しないと、日常の使用に耐えるような上質な再生製品は望めません。これでは回収、運搬、分別、洗浄、溶解、形成、あるいは化学分解、化学合成にかかる手間、それに要するエネルギーを考えると現実的とはいえません。ということで、現実的な手段は「燃やすこと」になってしまいます。問題は燃焼によって発生した熱エネルギーをいかに大切に、効率よく利用するかということです。

グラフはプラスチック類の燃焼エネルギーを他の燃料と比較したものです。廃プラスチックのエネルギーは灯油や重油と同レベルです。石炭よりも優れています。プラスチックは優秀な燃料です。海に流したり、埋め立てに使ったりするのは〝もったいない〟のです。

ということで、プラスチックなどの燃焼施設と火力発電所をドッキングする動きが出ています。輸入された石油の80％以上は燃料として使われます。プラスチックになった石油は最後に燃料として燃やされることで2回も人間の役に立ってくれるのです。

廃プラスチック問題の解決策の一つとして開発されたのが、「生分解性プラスチック」です。これは環境中に放置すると、微生物が分解してくれるというものです。当然ながら、このようなプラスチックは耐久性が低くなります。

ところが、この性質を逆手に取った使用法も開発されています。それは内臓手術の縫合糸に用いる方法です。この糸は体内で分解吸収されるので、抜糸のための手術が不要になるのです。使い方次第ということですね。

太陽熱発電、超臨界水発電とは

超臨界水発電

水蒸気爆発を人工的に行なって、そのエネルギーを発電に利用しようという試み。

太陽は爆発し続ける巨大な水素爆弾と同じで、莫大なエネルギーの塊です。そこからはいろいろなエネルギーが宇宙に放散され、地球に訪れるのはそのほんの一部に過ぎません。北欧の夜空を彩るオーロラは、太陽風に含まれる高エネルギーの宇宙線が地球の大気分子と衝突して起きる現象です。

X線やγ(ガンマ)線などの高エネルギー電磁波は、もし地球にオゾン層という天然バリアーがなければ、地球上のすべての生命体を根絶やしにするほどの威力を持っています。私たちが日常的に感じてありがたいと思うのは、太陽エネルギーのうちの「熱エネルギー」と「光エネルギー」だけです。

太陽熱を利用した発電

太陽が地球に送ってくれる**熱エネルギー**は膨大な量になります。このエネルギーを電気エネルギーに換えない手はありませんが、最近は光エネルギーを利用した太陽電池に注目が集まり、熱エネルギーのほうがおろそかにされている感があるのはもったいない話です。

古くからある太陽熱利用法の一つに、温水器があります。屋根にプールを上げて水を温め、お風呂などに利用するものです。太陽電池で電力をつくり、その電気を用いて電気ポットでお湯を沸かすなどという、エネルギーロスの連続のような方法に比べれば、はるかに合理的で、設備費も安くてすみます。しかし、お湯のエネルギーは使い道が限られます。

現代社会は電気エネルギーの上に成り立っています。風力も地熱も原子力も、どのようなエネルギーでも電気エネルギーに変換するのが最も使い勝手がよく、便利であり、価値を生む方法です。太陽の熱エネルギーも有効に使うためには、太陽電池と同じように電気エネルギーに変換するのが一番です。

太陽熱の短所は単位面積当たりのエネルギーが小さいということです。したがって、高

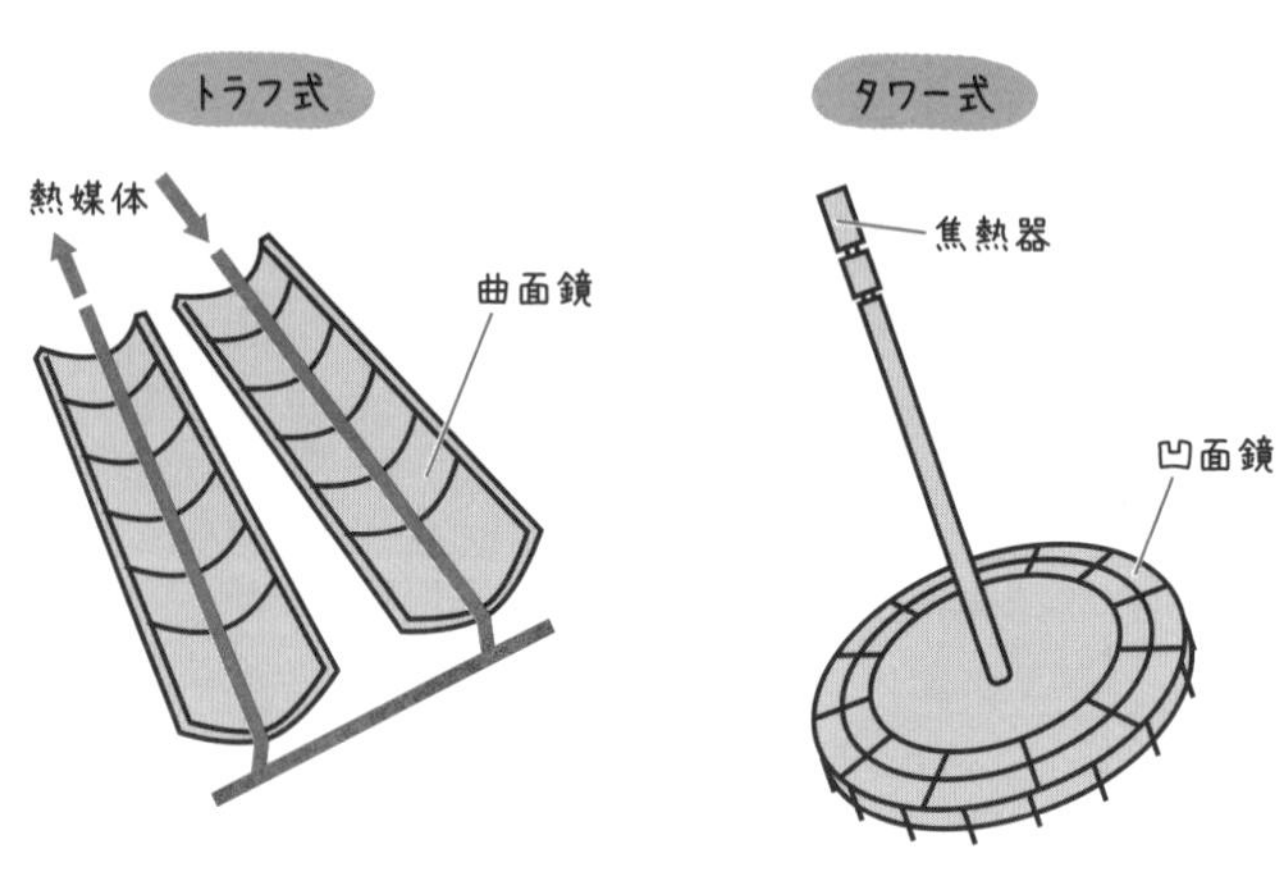

太陽発電の二つの方式

熱を用いて発電機を動かそうとすると、広い面積に降り注いだ熱エネルギーを一箇所に集中させることが必要になります。凸レンズで紙に火をつける要領です。口径の大きい凸レンズほど有利になります。

太陽熱発電の種類

太陽熱発電にはタワー式とトラフ式が考えられます。タワー式は凹面鏡の中央にタワーを設置し、凹面鏡の焦点位置に加熱装置を設置します。凹面鏡に照りつけた太陽熱は焦点に集中して加熱装置を温め、発電機を回します。

この凹面鏡は一枚の巨大なものである必要はありません。たくさんの小さな平面鏡を、角度を変えて設置し、全体として凹面鏡になるように太陽運行に連動して角度を変えればすみます。すでに1000℃を超す高温が得られ、1000kw時ほどの試作品ができています。しかし、鏡の設置角度に精密さを要し、しかも太陽の移動にともなって鏡の角度を調節する必要があるなど、思いのほかに大変な設備となり、大規模発電は難しいようです。

一方、トラフ式は、横に並べた雨樋(あまどい)状の曲面鏡の上にトラフ(樋)を設置し、熱媒体を流して加熱するものです。この方式は建設は容易ですが、温度は400℃程度と高温を得ることができないのが難点です。

タワー式、トラフ式のいずれにせよ、大量の熱エネルギーを集めるためにはそれなりの設置面積が必要になるという基本的な問題のほかに、すべての自然エネルギー同様に天候に左右されるという宿命的な問題を抱えています。

超臨界水での発電

水は室温では液体ですが、低温では固体の氷となり、高温では気体の水蒸気となります。多くの物質は温度、圧力に応じてこのような変化をしますが、この変化を一般に状態変化

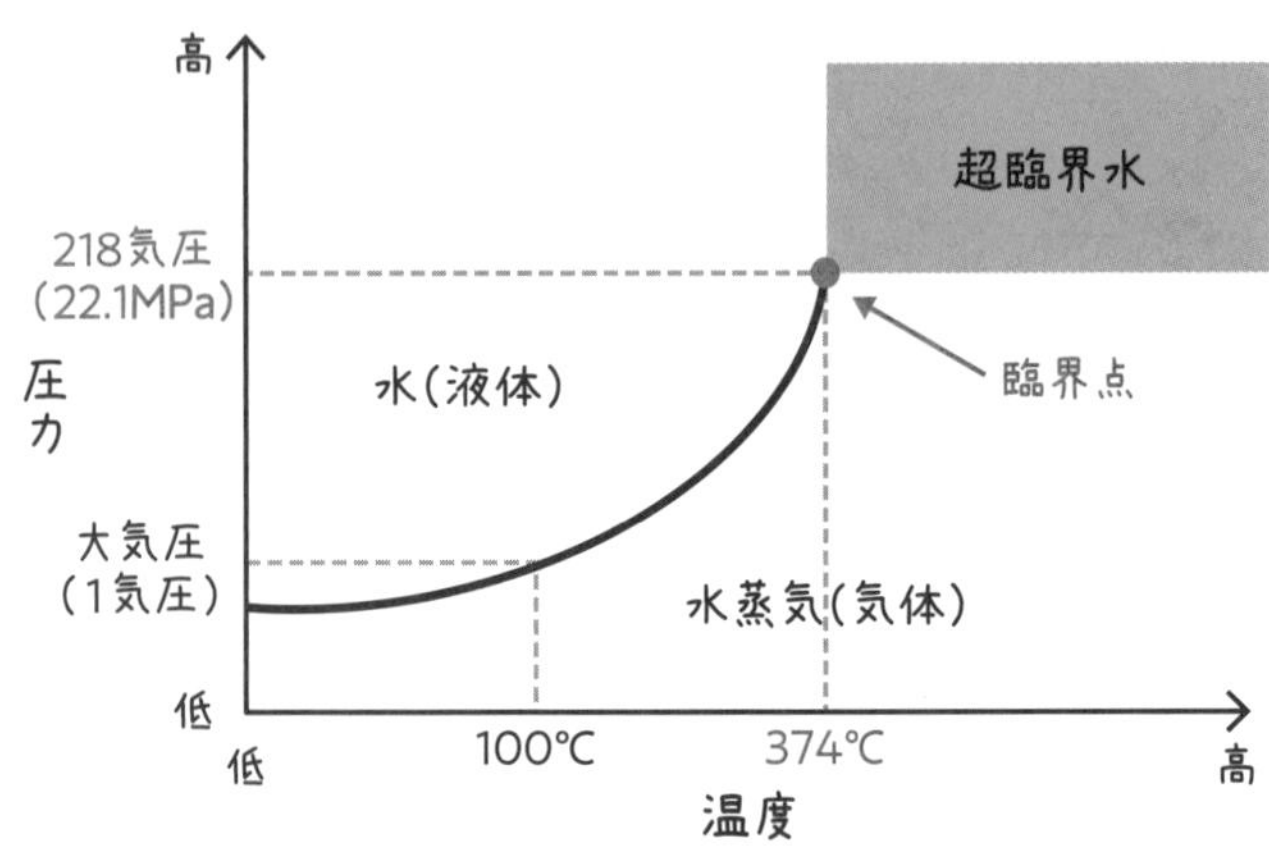

218気圧、374°C以上の状態である超臨海水

といいます。

液体の水は1気圧の下では100℃で沸騰して気体の水蒸気になります。沸騰する温度(沸点)は気圧(圧力)の上昇とともに上昇し、2気圧では120℃ほどになります。圧力鍋の原理です。218気圧(22.1MPa)という高圧では、沸点は374℃になります。

ところが圧力がこれより高くなると、水は沸騰しなくなります。つまり、水はこれ以上どんな高温に熱せられようと沸騰して気体になることはない、ということです。この圧力(218気圧)と温度(374℃)を臨界点といい、気圧、温度がこれ以上の状態を**超臨界状態**といいます。もし、それが水ならば**超**

臨界水といいます。

超臨界水は、液体の水と気体の水蒸気の中間のような性質を持ち、液体の比重、気体の分子運動エネルギー、大きい溶解力、強い酸化能力など、普通の水とは違った性質を持ちます。

火力発電では、液体の水を化石燃料の燃焼熱で加熱して気体の水蒸気とし、その圧力で発電機のタービンを回転して発電します。このような場合、水蒸気の温度が高いほど発電効率が良いことが明らかになっています。ということで、最新式の火力発電では超臨界状態の水を使うのが主流となっています。

ところが、このような超臨界水が天然に存在することがわかったのです。それがマグマです。地表の下は地殻で、さらにその下がマントルです。地殻とマントルの中間には溶岩のマグマがあります。マグマの近傍には、マグマの熱（374℃以上）と地圧（218気圧以上）によってつくられた超臨界水が存在するのです。これが爆発的に噴出すれば火山の爆発の一形態である水蒸気爆発となります。なお、溶岩爆発は溶岩そのものが飛び出す現象です。

超臨界水発電というのは、この水蒸気爆発を人工的に行なって、そのエネルギーを発電に利用しようという試みです。２０５０年頃の実現を目指して研究開発が行なわれています。この研究のためには、地下３０００〜５０００ｍという大深度の井戸を掘る必要があり、その井戸からマグマが噴出すれば、それは人工的な火山噴火です。研究者が経験したことのない人工火山になります。

また、マグマの近傍に存在する超臨界水の起源は海水であり、その中には塩分をはじめ、各種の不純物が含まれています。それらを取り除かなければ装置が腐食してしまいます。ということで、マグマの近くまで井戸を掘り、そこに水を入れて間接的に加熱することによって超臨界水を得ようという方向で研究が進められているようです。

7

再生可能エネルギーのコストと問題点

再生可能エネルギーの問題

巨大建設費(ダム)、不安定な発電量(天候)、主食の価格高騰……再生可能エネルギーもバラ色ではない。

繰り返し使え、枯渇することのない再生可能エネルギーは良いことづくめに見えますが、問題もはらんでいます。その主なものを見ていきましょう。

水力発電の問題点

水力発電は燃料を使わないことから、経常経費は安くてすみますが、ダム建設という初期費用が莫大です。また、ダム建設には時間がかかるため、その間に資材の値上がりや計画変更などが起こり、計画当初の見積額より多額の費用がかかります。

たとえば群馬県に建設した八ッ場(やんば)ダムは1986年当初の見積もり額は2110億円でしたが、2019年に完成するまでに

8800億円に膨れ上がりました。そのうち実際の建設費は1000億円足らずで、他は用地買収などだったといいます。中には、工期延長や設計変更などが主因で、見積りの約16倍の建設費を計上したダムもあるといいます。

その上、ダム建設は環境に対する影響が甚大であることが明らかになってきました。ダムの上流では既存の村落が消滅し、下流では水量の変化によって生態系が根本から変化します。またダム周辺では巨大水量の重量に基づく地盤沈下、それに起因する地震など、周囲の環境に回復不可能なほどの被害が現れます。

しかも、ダム本体には上流から絶えず土砂が流れ込み、ダムの貯水可能量は年々減少し続けます。また、ダムが決壊したら推測もできないほどの被害が現れます。ということで、巨大ダムを前提とした水力発電は過去のものとなりつつあるようです。

風力発電の問題点

大規模風力発電装置の価格は、発電量500kwのもので、ほぼ1台1億円といわれます。すると、原子力発電所並みの発電量100万kwの発電施設をつくるためには、2000台

低周波公害や台風による事故を避けるための洋上設置コストが高い

の風力発電機を設置すればよく、設置費用は2000億円という計算になります。

2009年に稼働した、北海道電力の泊原子力発電所3号機（91万kw）の建設費が約2926億円といわれますから、風力発電は原子力発電に比べても高くありません。しかも、原子力発電には濃縮ウランという高額な燃料が必要であり、その上、放射性物質の処理費用、老朽原子炉の廃棄費など、膨大な事後費用が予想されることを考えれば、風力発電はむしろ安いことになります。

風力発電装置の問題点は、その設置場所にあります。装置自体の倒壊の恐れはないとしても、台風通過後には風車が落ちる事故も起こっているので、大都会のど真ん中に立てるわけにはいかないでしょう。

風力発電装置の公害問題も取り沙汰されています。風車の回転によって起こる低周波騒音です。人間の耳に聞こえる音は周波数200~2万Hz（ヘルツ）までとされますが、それより低い低周波は耳に聞こえないと思っているだけで、身体では感じています。これが**低周波公害**であり、敏感な人は体調不調となり、睡眠障害を起こすといいます。このため、風力発電施設は洋上建設が主流となりつつあり、その場合の建設費は1台1億円ではすまず、コストパフォーマンスの計算は新しい次元に入ることになります。

バイオ燃料の問題点

バイオ燃料に技術的な問題はありませんが、倫理的な問題が指摘されるものもあります。それは**バイオエタノール**です。エタノールはグルコース（ブドウ糖）のアルコール発酵でつくりますが、この発酵法の商業的な原料として利用されているのがトウモロコシ、つまりデンプンなのです。

トウモロコシは世界の三大主食の一つであり、しかもトウモロコシを主食にする国々は

トウモロコシの燃料転化によって価格が上昇

豊かでない国が多いようです。そのような国でトウモロコシの燃料転化のおかげで、価格が上昇しているといいます。このままエタノール発酵によるバイオ燃料生産を続けてよいものかどうか、SDGsの観点からも疑念が残ります。

ただ、本来は主食になるのはトウモロコシの実の部分です。実は主食に回し、それ以外のセルロース部分、つまり廃棄になる部分を発酵させればよいのですが、商業ベースで見ると、それでは発酵効率が悪く、採算が取れないとのことです。

なんとか、セルロースを効率よくグルコース（ブドウ糖）に分解してくれる細菌が見つかれば問題は解決することになります。そんな中、最近注目されているのが白アリです。白アリは木材を食べて生活している昆虫です。木材、セルロースを分解してグルコースにするシステムを体内に備えていないはずはありません。調べると、シロアリの消化器官内に共生するある種の菌がセルロースを分解していることがわかりました。さらにこのグルコースを分解して水素をも発生しているのです。現在、この菌を用いてバイオマスエタノールや水素の製造に役立てる研究が進められています。

第6章

新しく開発された「再生可能エネルギー」

思わぬところに潜むエネルギー

地産地消エネルギー

トイレで超小型水力発電、ジムの自転車漕ぎで発電機を回す。身の回りの電気ぐらい、自分たちでつくれないものか。

自然界はもちろん、私たちの周囲にはたくさんのエネルギーがあります。その中には、そもそもエネルギーとして認識されていないようなエネルギーも存在します。たとえば、世界のどこかで降っている雨。この雨が地面を打つ力をまとめたら、莫大なエネルギーになるはずです。

そこかしこの小さなエネルギーを使う

冬になると、ドアノブに触る時に発生する静電気だって立派な電力です。これらを有効に利用する方法はないものでしょうか。トイレで流している水、あれで超小型水力発電機を回してトイレで使う電力をまかなえないでしょうか。また、スポーツジムで自転車を漕ぐ代わりに、発電機を回してもらうというの

■愛読者カード

【ご購入いただいた本のタイトルをお書きください】

タイトル

ご愛読ありがとうございます。

今後の出版の参考にさせていただきたいので、ぜひご意見・ご感想をお聞かせください。

なお、ご感想を広告等、書籍の PR に使わせていただく場合がございます（個人情報は除きます）。


……該当する項目を○で囲んでください……

◎本書へのご感想をお聞かせください

・内容について	a. とても良い	b. 良い	c. 普通	d. 良くない
・わかりやすさについて	a. とても良い	b. 良い	c. 普通	d. 良くない
・装幀について	a. とても良い	b. 良い	c. 普通	d. 良くない
・定価について	a. 高い	b. ちょうどいい	c. 安い	
・本の重さについて	a. 重い	b. ちょうどいい	c. 軽い	
・本の大きさについて	a. 大きい	b. ちょうどいい	c. 小さい	

◎本書を購入された決め手は何ですか

a. 著者　b. タイトル　c. 値段　d. 内容　e. その他（　　　　　　　　）

◎本書へのご感想・改善点をお聞かせください

◎本書をお知りになったきっかけをお聞かせください

a. 新聞広告　b. インターネット　c. 店頭（書店名：　　　　　　　　）
d. 人からすすめられて　e. 著者の SNS　f. 書評　g. セミナー・研修
h. その他（　　　　　　　　）

◎本書以外で最近お読みになった本を教えてください

◎今後、どのような本をお読みになりたいですか（著者、テーマなど）

ご協力ありがとうございました。

郵便はがき

料金受取人払郵便

新宿局承認

4337

差出有効期間
2022年9月
30日まで

1 6 3-8 7 9 1

9 9 9

（受取人）

日本郵便 新宿郵便局
郵便私書箱第330号

（株）実務教育出版

愛読者係行

フリガナ お名前		年齢　　　歳 性別　　男・女
ご住所	〒	
電話番号	携帯・自宅・勤務先　　（　　　）	
メールアドレス		
ご職業	1. 会社員 2. 経営者 3. 公務員 4. 教員・研究者 5. コンサルタント 6. 学生 7. 主婦 8. 自由業 9. 自営業 10. その他（　　　）	
勤務先・学校名		所属（役職）または学年

今後、この読書カードにご記載いただいたあなたのメールアドレス宛に
実務教育出版からご案内をお送りしてもよろしいでしょうか　　はい・いいえ

毎月抽選で５名の方に「図書カード１０００円」プレゼント！

尚、当選発表は商品の発送をもって代えさせていただきますのでご了承ください。

この読者カードは、当社出版物の企画の参考にさせていただくものであり、その目的以外には使用いたしません。

はどうでしょうか。そうすれば、ジムで使う電力くらい、自分たちで生産できるのではないでしょうか。まさに、**地産地消エネルギー**になるはずです。

地産地消は省エネにもあります。新型コロナ（covid-19）以後、在宅勤務が増えましたが、通勤が減ったということは通勤のためのエネルギーが不要になったということ。これはそれだけのエネルギーが生産されたのと同じ効果です。ほかにも、毎日何十億人もの人が何時間もスマホを覗いています。これも止めた分だけエネルギー生産につながります。日本中の自動販売機が使う電力は、原子力発電所1基に相当するという試算もあります。

マンガチックな発想もありますが、見渡せば私たちの身の回り、世界、自然界には使われずに見過ごされているエネルギーがたくさんあります。その多くは小さなエネルギーですが、問題はそれが集まると膨大なエネルギーになるということ。現代科学は大きなエネルギー、高温の熱の使用には長けていますが、微小なエネルギー、低温の熱の利用はうまくできていません。最近、このような小さなエネルギー、隠れたエネルギーを掘り出して利用しようとの試みが進んでいます。主なエネルギーを次節から見ていきましょう。

潮汐発電とはどんなエネルギー？

潮汐発電

潮の干満という膨大なエネルギーを利用する発電。問題は、適地が少なく建設費も巨大なこと。

潮汐とは、海の潮の満ち引きのことです。この繰り返しは基本的に1日に2回ずつあり、満潮も干潮も1日に2回ずつ繰り返します。

潮汐のエネルギー

海釣りが好きな方はご承知のことですが、潮の満ち干(ひ)は複雑であり、日本の場合、変化する海面の高さの大小によって、大潮、小潮、若潮……と、事細かに分類されています。

その一定海域に存在する海水の量は膨大なものであり、それを沖（遠洋）に引かせたり、反対に沿岸に押し寄せさせたりするエネルギーは凄まじいです。このエネルギーを発電に利用しようというのが**潮汐発電**です。四方を海に囲まれた日本にとっては、ぜひとも有

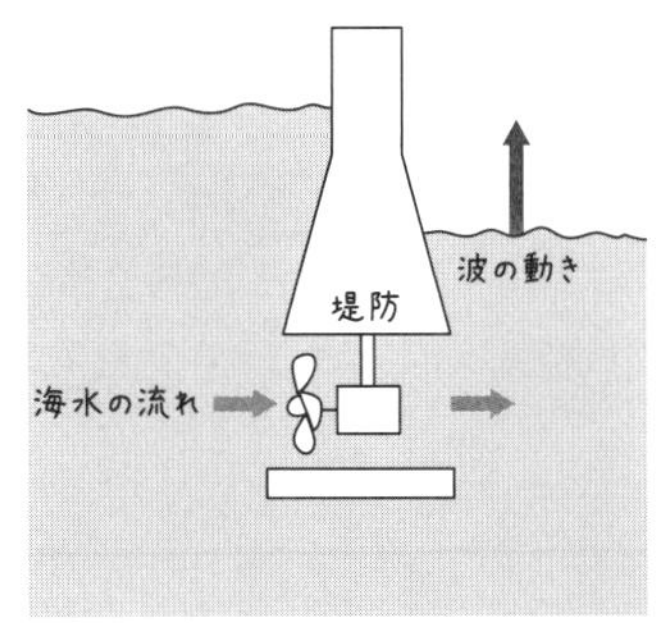

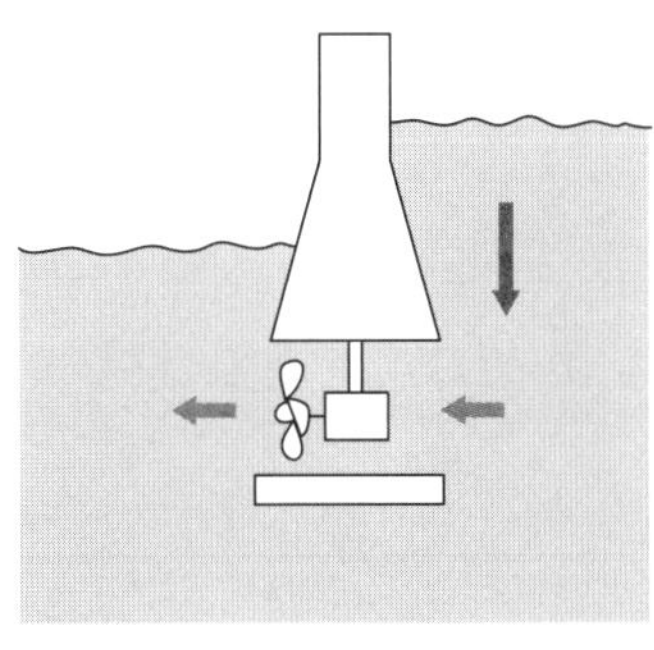

潮汐発電のしくみ

効に活用したいエネルギーです。

潮の干満はいうまでもなく、地球と月の位置関係から起こる現象です。すなわち、月が頭上に来た時と地球の裏側に行った時には海水が頭上に引き寄せられ、海水面が高くなって満潮となります。それに対して月が地球の横側に行った時には海水は引き寄せられ、自分のいる側は海水が少なくなって干潮となります。この干満の差は地形によって影響されますが、大きなところでは干潮と満潮で海水面が20mほど異なるというから驚きです。

潮汐発電のしくみ

潮汐発電所の模式図は図に示した通りです。すなわち、干満の差が大きな場所に適当な小型の湾があったとします。満潮時には湾は海水で満たされて海面は上昇し、逆に干潮時には海水はなくなって海面は低下します。もし湾の入り口をダムで塞ぎ、満潮時に開いて海水を入れ、干潮時に入り口を閉じると、湾には大量の海水が滞留し、湾内の海面は上昇したままになります。

ここで水門を開くと、滞留した海水は湾外に流れ出ようとし、水門に設置されたスクリューが回転して発電機を回し、発電することになります。立地の高低差を利用した普通の水力発電に対して、これは立地の水平差を利用した発電といえそうです。工事は大変ですが、アイデアは単純明快です。問題はこの模式図のように干満の差が大きく、かつ湾口が適当な大きさの湾が見つかるかどうか、という点に尽きます。

既存の施設としては、世界最初の潮汐発電所として知られるフランスのランス発電所（出力24万kw）や、ノルウェーのクバルスン発電所（70万kw）などが知られています。日本でも有明海の一部では干満の潮の差が６ｍに達することから、潮汐発電の可能性があるといわれています。しかし、漁業や農業への影響はもちろん、環境に対する影響が大きいことから、実現には問題があるようです。

コラム モーゼの奇跡

モーゼの奇跡はただの干潮だった？

『旧約聖書』の脱エジプト紀で、モーゼに導かれてエジプトを脱出したユダヤ人たちが行く手を紅海に阻まれ、後方からエジプト軍が追ってきて万事休す……という時、奇跡が起こりました。モーゼが紅海を真っ二つに分け、陸地が現れ、その間をユダヤ人は走り抜けたのです。その後、海は再び閉じ、エジプト軍を海の中に沈めたという伝説です。これは、紅海の干潮によるものといわれています。

日本でも鎌倉時代の名将・新田義貞が鎌倉の北条軍を撃つ時のシーンも有名です。満潮の稲村ヶ崎で義貞は干潮を見越して刀を海に投じ、その後、干潮になって勇んで鎌倉へ進軍したという故事が残っています。新田義貞の兵士の多くが山里出身者だったからこそ、可能な魔術だったといえるでしょう。

海水の温度差を利用する

海洋温度差発電

地熱発電の海洋版。深さによって異なる海水の温度差を利用しての発電。

地殻の温度が深さによって変わるのは、地熱発電で見た通りです。地表は20℃でも、マグマは1000℃以上、マントルでは数千度にもなります。温度が変わるのは地殻だけでなく、海洋水も同じです。日本近海でも水温の高い暖流の黒潮と、水温の低い寒流の親潮が流れています。黒潮は年によって海流海域を変え、それによって日本の気候が大きな影響を受けます。

しかし、海洋水の循環はこのような海の平面だけではありません。海水は垂直方向にも循環しています。つまり、太陽の熱で暖められた海面の水は、やがて太陽光の届かない深くて冷たい海底に沈み、深い海底の海水は海面に来て太陽の光にさらされるのです。

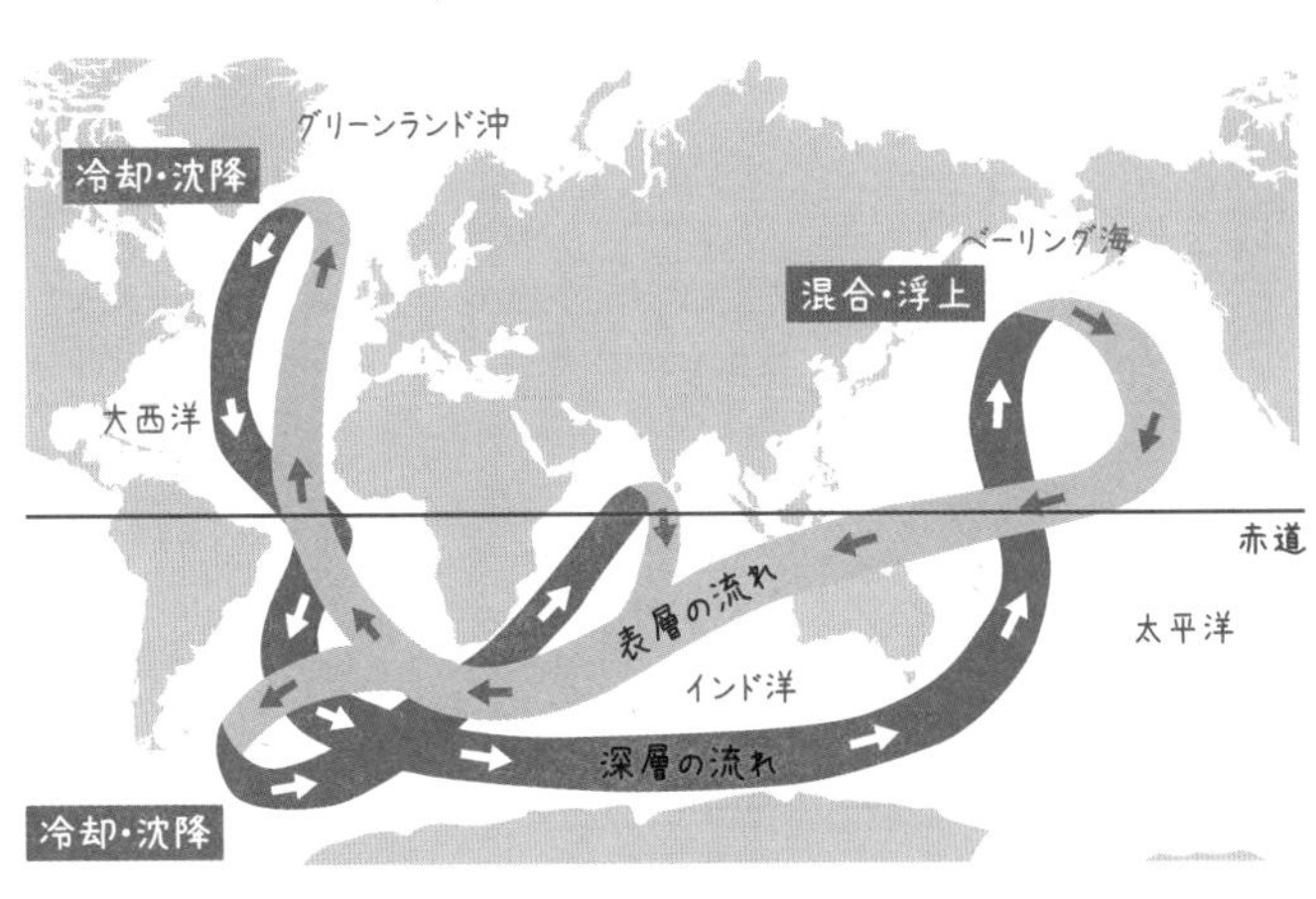

深層大循環

深層大循環を活用する

深層大循環と呼ばれる海水の循環がありま す。これは海水の垂直方向、すなわち上下方向の循環です。海洋表面を流れた海水はグリーンランド沖で海底深くもぐり込み、海底を巡回したあと、インド洋とベーリング海で再び表面に浮かび出ます。この海水の移動速度は大変に遅く、深海では毎日10㎞程度、上昇と下降の速度は毎日1㎝程度であり、約500年かかって2000m以深の海水が入れ替わるといわれています。

このように海水の温度は深さによって変化し、赤道付近の海面で平均26℃、水深500mでは7℃、つまり温度差20℃近くとなっています。この温度差を利用して発電しようというのが**海洋温度差発電**です。装置の模式図は図に示した通りです。

すなわち沸点20℃程度の適当な溶媒をポンプで海底に送って冷却します。それを海面に送ると、海面の高温（26℃）で溶媒は気化して気体となります。この際の体積膨張を利用して発電機を回すのです。水蒸気の圧力で発電機を回すのと同じことです。仕事を終えた気体状態の溶媒は、再びポンプで海底に送られて冷やされて液体となります。

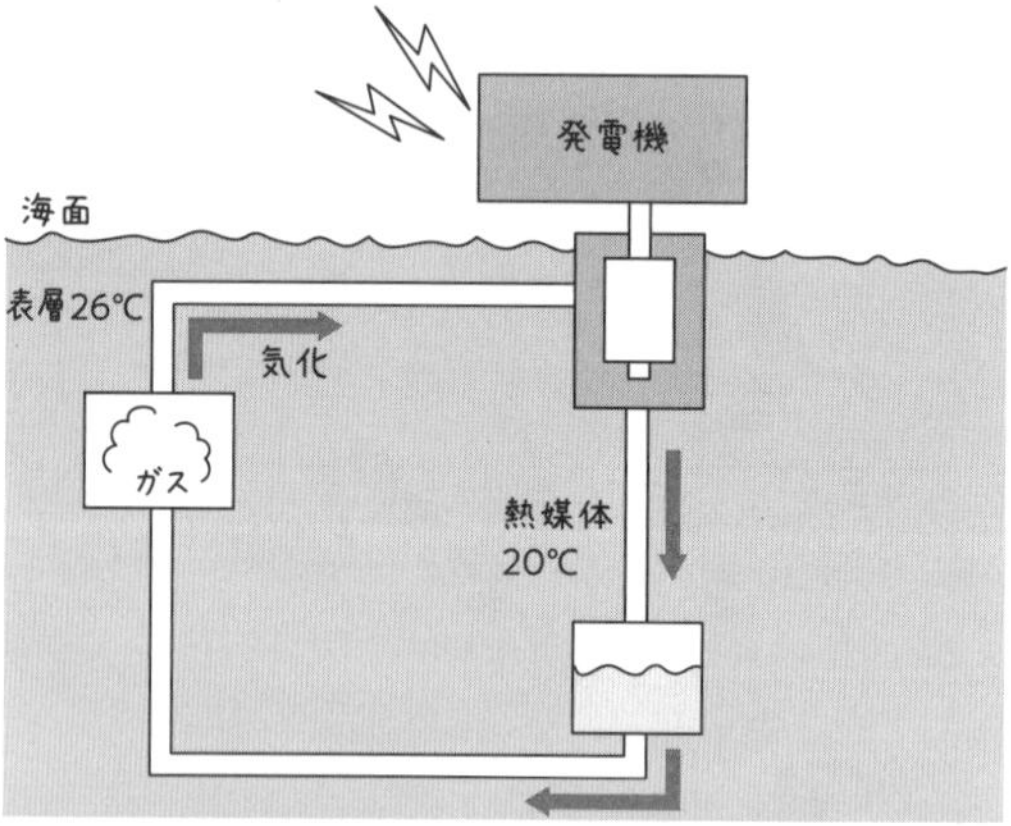

温度差を利用する「海洋温度差発電」

この発電は「小さな温度差を利用しての発電」です。ということは、このシステムを利用すれば、次節で見るように今まで役に立たないとして棄てられてきた小さな熱エネルギーをも利用できることを意味するのです。

廃熱発電は「もったいないエネルギー」

廃熱発電

工場の温排水、発電所の温排水を利用した小規模な発電。

現代のエネルギー工学は、大量エネルギーの利用には優れていますが、少量エネルギーの利用には疎(うと)いところがあります。原子力発電や超臨界水発電のような、温度差の大きい大量の熱を利用することはできても、火力発電所や原子力発電所、あるいはゴミ焼却施設から出る冷却排水はもとより、家庭から出るお風呂の排水、料理店から出る排水などの利用はできていません。

原子力発電所でも原子炉から出る数百度の熱は水蒸気発生のために利用しますが、タービンを回したあとの数十度の温水は海水で冷やして捨てています。このような生ぬるい温水は工場からも排出されますが、その利用は一向に注目されていません。これは不当とい

廃熱発電に使えそうなもの

わざるを得ません。

低温熱エネルギーの見直し

20℃程度の温度差ならば、身の回りにたくさんあります。大規模なものなら前節で見た海表面と深海の温度差があります。原子力発電所の冷却水も、火力発電所や一般工場のボイラーの冷却水も同じです。小規模のものなら、レストランの厨房の排熱や一般家庭の風呂のお湯だって同じです。

このような温度差を有効利用しない手はありません。電力不足の最近になって、ようやく低温熱エネルギーの見直しが始まろうとしています。その一つが前節で見た、海表面と深海との温度差「わずか20℃」という小さな温度差でも、沸点20℃ほどの〝適当な溶媒〟を用いれば、「液体と気体の体積変化」を利用した発電が可能ということです。

熱は何℃であろうとエネルギーです。有機物には数十℃で気化し、体積を数百倍に膨張するものが多数あります。スチームは水だけがつくるものではないのです。エーテル、アセトン、フロンなど、有望な物質が出番を待っています。

私たちはエネルギー・インフレ時代を過ごしてきたように思えます。現在はそのツケが回ってきたようなものです。これからは小規模エネルギーの積み上げのような地道な努力が求められるでしょう。「もったいない」という精神を忘れたくないものです。それこそSDGsの精神といえるはずです。

振動力発電は歩くだけで得られる？

振動力発電

圧電素子を敷いた道を人が踏む、クルマが走るだけで発電する。効率は低いが、コストも安価で済む可能性。

街の振動から電気を生む

街は騒音と振動であふれています。大きな街では、毎日何万人という人が駅や繁華街の周りを歩き回ります。そして歩くたび、一歩ごと大地を蹴ります。このため、歩道の石畳は擦り切れ、舗装されていないところでは土埃が立ちます。このエネルギーはすごいものです。

車道では、1トン（1000kg）以上の重さの自動車が人と荷物を載せて移動します。つまり通行人が歩き、自動車が走るということは道路にとても大きな荷重を与えているのです。このエネルギーを発電に利用することはできないものでしょうか。

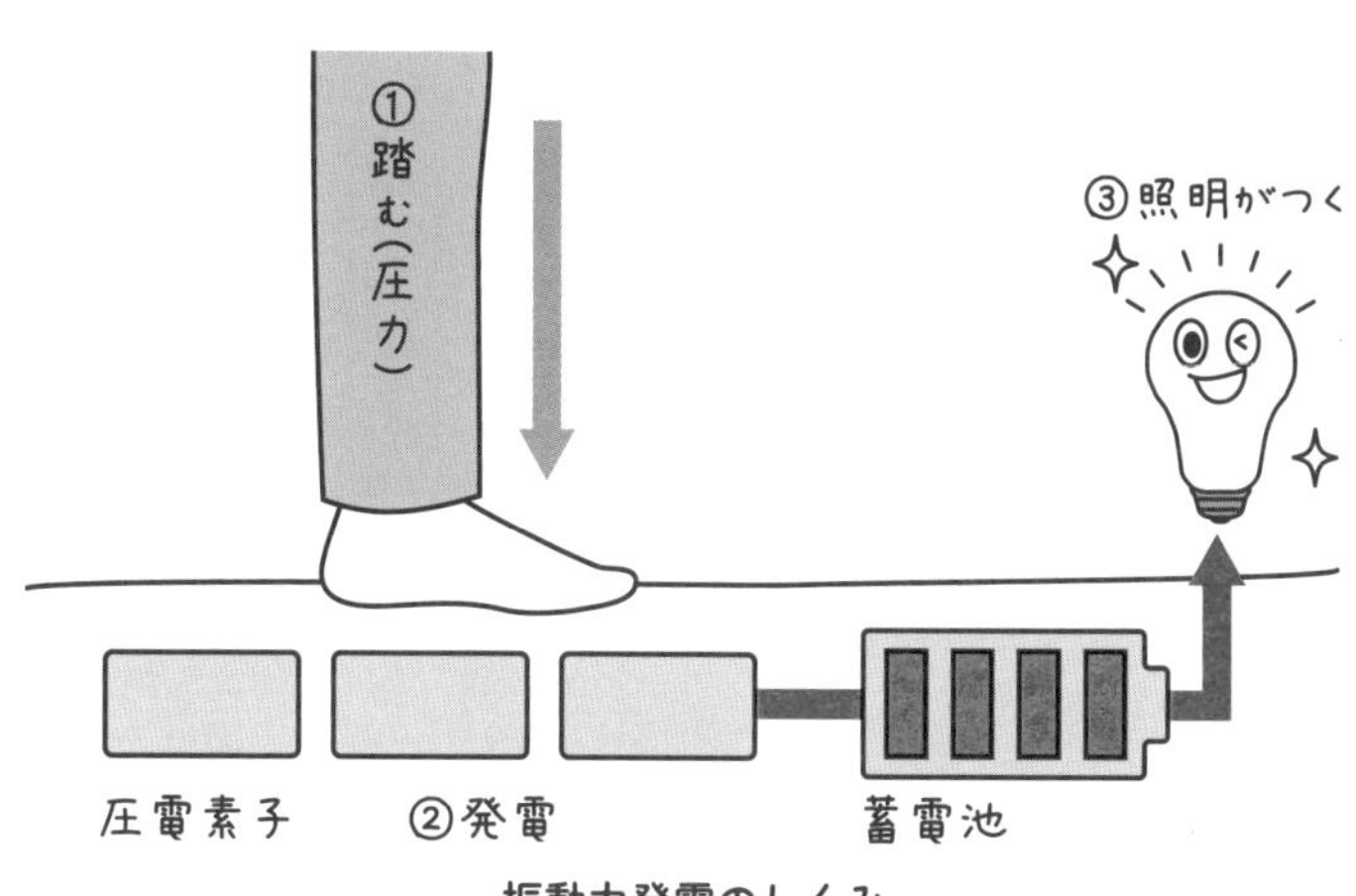

振動力発電のしくみ

雑踏の**振動エネルギー**を電気に変換する方法は簡単です。電気信号を振動に変えて音を出すスピーカーの原理を逆に利用するだけです。つまり、圧力が加わると電気が発生する「圧電素子」を利用して、受けた振動で電気を発生させるのです。それが**振動力発電**です。

しかし、最近東京の繁華街で行なわれた実験結果では、極めて微弱な電力しか得ることができなかったようです。中央環状線を用いた実験によれば、60×30㎝の大きさの発電ユニットを10台設置して、得られる電力はわずか0・1W時。一週間充電したとしても、20W電球を1時間弱しか点灯させることができない発電量です。

ただ、今後の技術開発によって発電能力を百倍程度にすることは可能といいます。たとえば、首都高のトンネル以外の高架部分約235㎞すべてに発電ユニットを設置した場合、東京23区約400万世帯の使用電力の約40％をカバーできる計算になるといいます。

同様の実験を渋谷駅前で、歩行者の歩行エネルギーをターゲットに行なわれましたが、おおむね同じような結果に終わっています。しかし、交通量世界一の渋谷スクランブル交差点・ハチ公前広場全体に約4000基の発電ユニットを設置すれば、一般家庭40軒分に相当する450kwの発電が可能ということがわかりました。

しかも、圧電素子の寿命は一般に長いため、いったん設置すれば長期的にコストは低減していくと考えられます。もちろん無公害で環境にも優しい発電技術でもあるので、今後の開発が望まれる技術開発といえるでしょう。

その他の新しい再生エネルギー

波力、雪氷熱、ゼーベック

波のエネルギーを活用する波力発電、雪や氷が解けるエネルギーを使う雪氷熱エネルギー、素子に熱を加えて電気を生み出すゼーベック効果……。思わぬところに隠れているエネルギーを紹介する。

風力発電に似た波力発電とは

「春の海　終日のたり　のたりかな」（与謝蕪村）の通り、海面は休むことなく上下動を繰り返しています。1リットルのペットボトルを持って手を上下運動したら、1kgのダンベル運動と同じことです。1回の波で押しあげられる海水の量はペットボトルの比ではありません。しかも、それを繰り返すのですから、運動の総エネルギーがとんでもない量になることはいうまでもありません。

次ページの図は波浪発電の模式図です。原理は風力発電のようなものです。すなわち、適当な円筒内で波が上下動すれば、それによって円筒内の空気が円筒を出入りし、「風」が起こることになります。この風を利用して

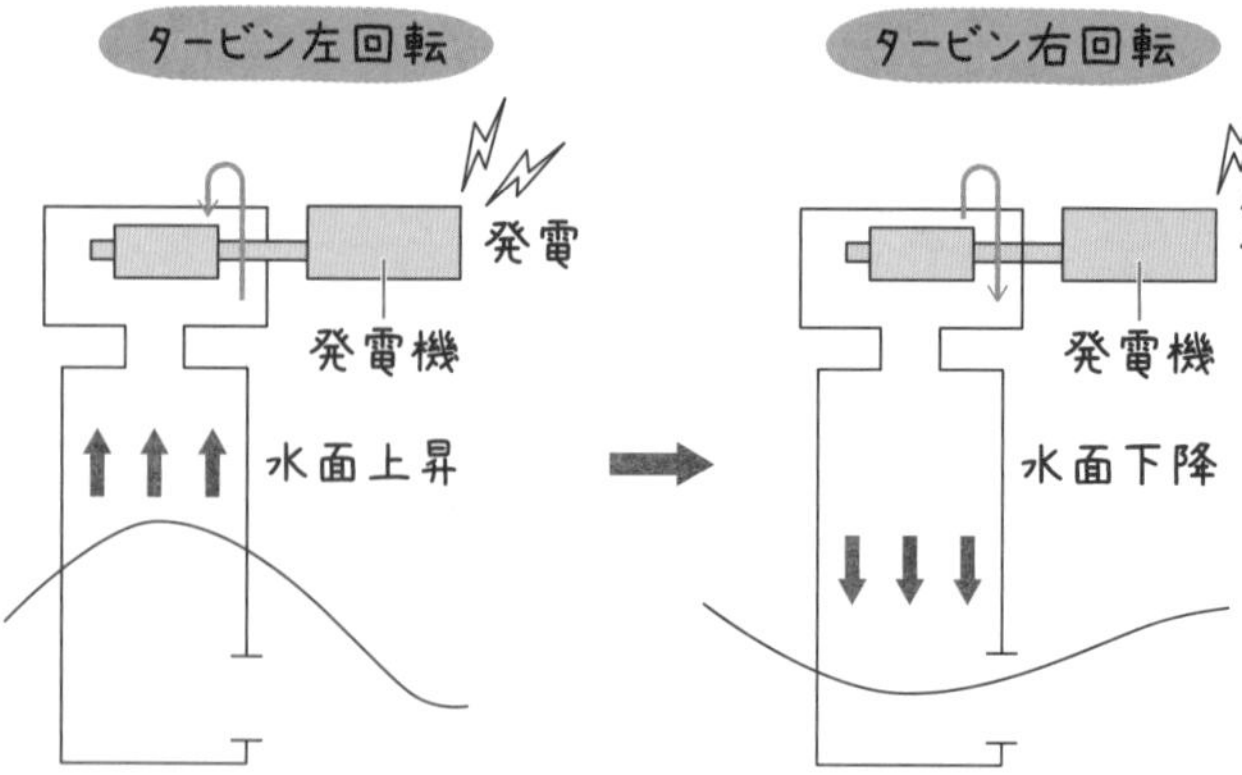

波浪発電の二つのしくみ

発電機のタービンを回すのです。

ただし、「発電量」は小さいため、使い道としては海上でのブイの電力供給程度ですが、それにしても可動部分があって構造が複雑なため、故障は避けられません。そのため、可動部分がなく、故障可能性の少ない太陽電池の陰に隠れているのですが、波浪の総エネルギーは莫大です。何とか有効な使い道はないものでしょうか。

冷やすための雪氷熱エネルギー

雪氷熱エネルギーは熱エネルギーといいながら、加えるエネルギー（加熱するエネルギー）ではなく、取り去るエネルギー（冷やすエネルギー）です。雪氷熱エネルギーは冷やすエネルギーを雪や氷から得ようというものです。冬季に降った雪や、冷たい外気で凍らせた氷を貯冷庫などに貯蔵し、気温が上がり冷気が必要となった春から夏にかけて利用します。清少納言が夏の贅沢(ぜいたく)品として金属の器に氷を盛り、甘葛(あまずら)の煎じ汁をかけたものをあげていますが、これも雪氷熱エネルギーの利用ということになるでしょう。

雪を用いる場合には、断熱材でつくった貯雪庫に重機などを使用して搬入します。氷を利用する場合は、アイスシェルターの中に水を入れた容器を置いて外気で凍らす方法と、池や沼の氷を利用する方法があります。雪や氷で冷気貯蔵する場合、一般にチルドと呼ばれている0〜5℃の温度帯です。適度な湿度を保っているため農産物の長期保存に最適で、安定供給による付加価値を得ることができます。

冷房として使用する場合、使用動力は冷気を移動させるポンプだけなのでランニングコストは電気冷房に比較して約1／4程度ですみます。北海道や東北地方は気温的に、どの地域も雪氷熱エネルギーの導入が可能です。デメリットをメリットに変換できるこの再生可能エネルギーは、自然が寒冷地に贈ってくれたプレゼントいえるかもしれません。

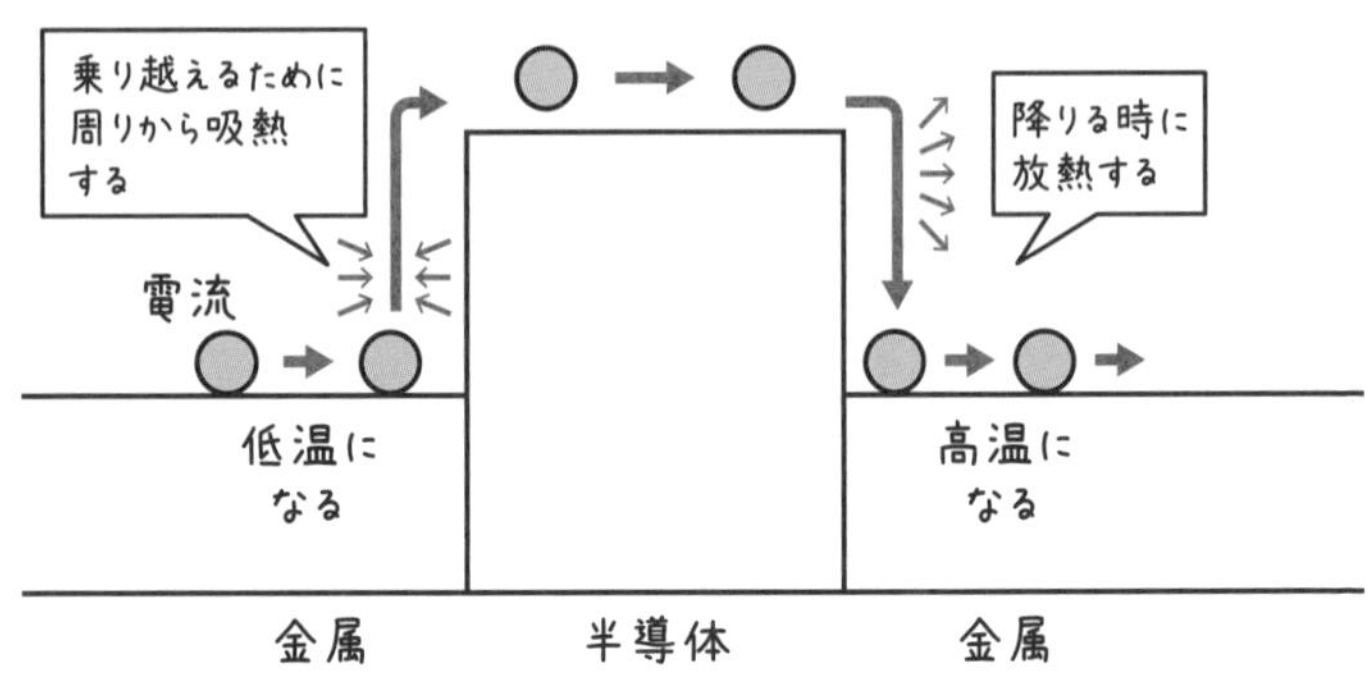

金属-半導体-金属と接合した素子に
電流を流すと、片方の金属からもう片方の金属へ熱が移動する

ペルティエ効果のイメージ

ペルティエ効果とゼーベック効果

半導体を用いると、熱と電気エネルギーを直接交換することができます。これは太陽電池が光エネルギーを電気エネルギーに直接変換し、LEDや有機ELが電気エネルギーを直接、光エネルギーに変換するのと同じことと見ることができます。

2種類の金属や半導体を接合した素子を、発明者の名前からペルティエ素子といいます。この素子に電流を流すと、片方の金属からもう片方へ熱が移動します。これを**ペルティエ効果**といいます。つまり、この板状の半導体素子に直流電流を流すと、一方の面は吸熱して冷たくなり、反対面で発熱が起こります。電流の極性を逆転させると、その関係も反転

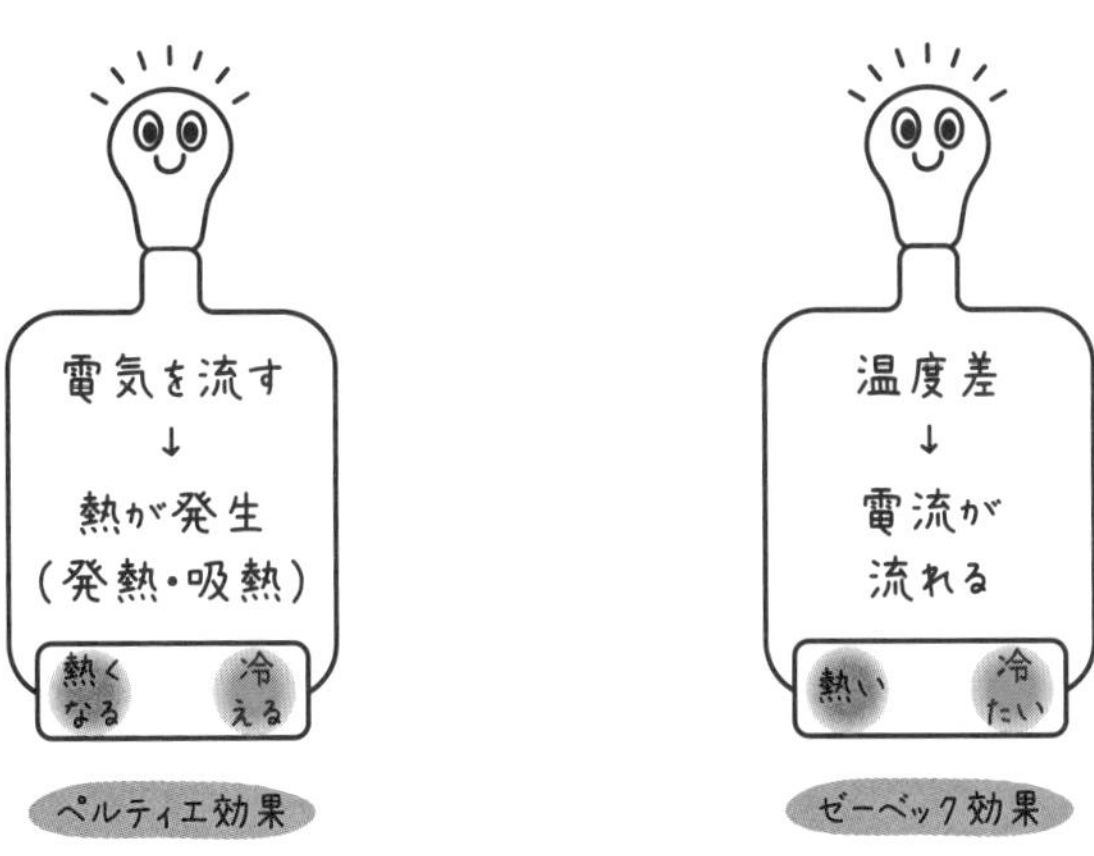

ペルティエ効果とゼーベック効果の違い

します。

これを利用すると、小型で振動がなく、しかも完全無音の冷蔵庫をつくることができます。自動車搭載用、ホテル仕様、あるいは医療用などの冷蔵庫として使われています。ただ、移動させる熱以上に素子自体の放熱量が大きいため、電力効率が悪いのが欠点です。また、吸熱側で吸収した熱と、消費電力分の熱で放熱側が発熱するため、ペルティエ素子自体の冷却が大変であるというのが、冷却手段として広く普及しない理由となっています。

ペルティエ素子のもう一つの能力は、素子に熱を加えると電力が生じることであり、これは**ゼーベック効果**といわれ、腕時計の電力などとして利用されています。

金属エネルギー

再生可能というわけではありませんが、少なくとも二酸化炭素やNOx、SOxを発生しないエネルギーとして、最近、金属の発生するエネルギーが注目されています。一般に金属は燃えないというイメージがありますが、それは間違いです。多くの金属は燃えます。鉄だってスチールウールを酸素の入った広口瓶に入れ、マッチで火を着けたら激しく燃えます。これは鉄をウール状にすることによって表面積が大きくなり、酸素に触れる面積が多くなっただけのことで、鉄が特別の状態になったわけではありません。

また近年、マグネシウム倉庫やマグネシウム工場で火災が起きています。このような金属火災では水をかけると爆発的に燃え広がります。燃えている金属に水をかけると爆発するのは、金属が水と反応して水素ガスH_2を発生するからです。洗面器の水に米粒ほどのナトリウム金属を入れると、水より軽いナトリウムは水面をチリチリという音を発して動き回り、ボンッという爆発音と火花を発して消えます。危険な実験ですが、これはナトリウムが水と反応して水素ガスとともに熱を発し、その熱によって水素ガスが爆発したこと

燃えている金属に水をかけると、水素ガスが発生して爆発する

によります。

ほかにも、福島第一原発事故で起きた水素爆発は、使用済み核燃料の被覆体であるジルコニア（ジルコニウムZr合金）が高温で水と反応して水素を発生し、それに火が着いて爆発したものでした。

ところで、熱は立派なエネルギーです。そして水素は水素燃料電池の燃料であり、昔は都市ガスの成分として各家庭に配られていたものです。つまり、金属と水との反応は、エネルギーを生産した上に新たな燃料（H_2）まで生産するという、次章で見る魔法の原子炉、高速増殖炉のようなものなのです。

爆鳴気エネルギー

水素と酸素を2：1に混合した気体は爆鳴気（ばくめいき）としてよく知られています。これに火を着けたのが水素爆発であり、轟音（ごうおん）とエネルギーが発生し、大変に危険な気体です。水を電気分解すると水素と酸素が2：1の比で生成し、この爆鳴気が発生します。これでは危険なので、水の電気分解を行なう時には正極と負極を隔離し、正極室には酸素のみ、負極室には水素のみが分かれて溜まるようにし、両気体が混じらないように注意します。

ところが、ある条件下で水を電気分解して生じた爆鳴気は火を着けても爆発せず、普通のガス（都市ガスの天然ガス）と同じように定常燃焼し、しかも火力が大変に強くなります。この気体の組成を調べると、水素、酸素の他に水のクラスター（会合体、集合体）が混じっているそうです。水のクラスターとは、数個の水分子が水素結合で結合した集合体のことです。

この気体の安定化には、水のクラスターが何らかの働きをしているのでしょうが、現在のところ詳細は不明です。確立したように見える既存の技術の中にも、隠れた可能性があるという例です。

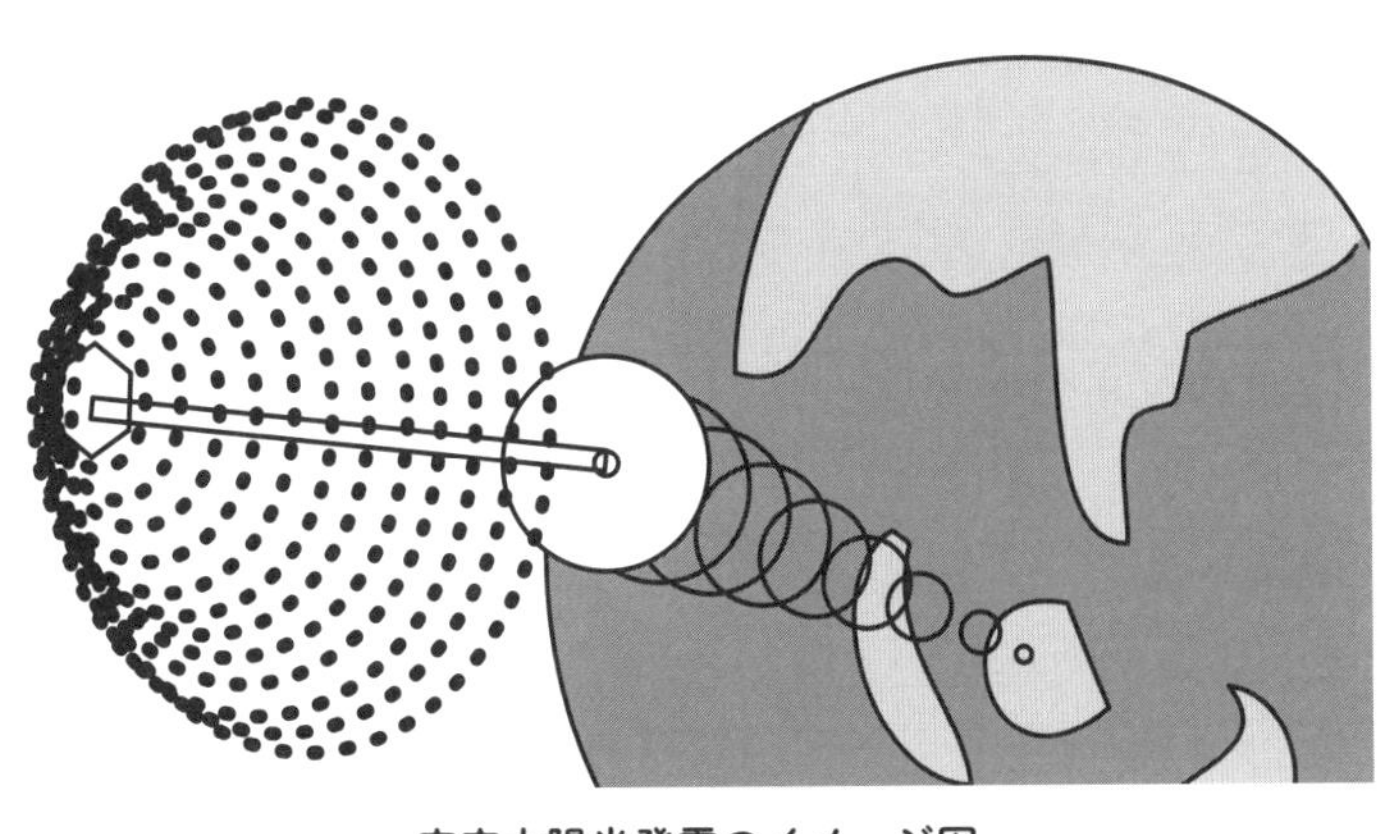

宇宙太陽光発電のイメージ図

宇宙でエネルギーをつくる

宇宙空間を利用して、効率的な太陽光発電を行なおうという考えがあります。高度4000万㎞ほどの高度に静止衛星を打ち上げ、そこで巨大な太陽電池を広げるのです。静止衛星ですから、常に太陽の方向を向き、しかも気候に左右されず、24時間体制で発電可能です。太陽光も大気で減衰(げんすい)されませんから、エネルギーは十分です。

発電した電力はマイクロ波で地上に送ります。また、この太陽電池と地球をケーブルでつないで電気を送ろうとのアイデアもあります。この場合のケーブルは、軽くて強い新素材であるカーボンナノチューブでつくることが計画されています。いまだ実験段階であり、実現は先の話ですが、試算では25万kwの発電施設で80～150億円程度だそうですから、火力や原子力の場合の2倍程度のコストになりそうだということです。

最も近い星は地球の衛星である月です。アポロ宇宙船に乗った人類が月に第一歩を刻んだのは1969年のことでした。その後の半世紀間、月に降り立った人類はいませんが、アポロが持ち帰った岩石の分析により、月には地球上にない資源があることが知られています。それはヘリウム3、つまり^{3}Heです。

^{3}Heは宇宙線に含まれており、大気のない月面で堆積したものといわれています。^{3}Heは次章で見る核融合反応の重要な燃料と考えられています。核融合反応の燃料として重水素Dや三重水素Tを用いるD-D反応やD-T反応では、副生成物として危険な中性子が発生します。しかし、重水素と^{3}Heを用いるD-^{3}He反応では中性子が発生しません。このように、将来は地球以外の天体から運んだ燃料で発生した電力で地球エネルギーを賄う時代が来るのかもしれません。

原子核エネルギーを利用した「原子力発電」

そもそも、原子力エネルギーとは？

原子力発電

原子核のエネルギーで発電機のタービンを回す発電法。原子核エネルギーは核分裂、核融合、原子核崩壊で発生する。

原子力発電とは、原子核のエネルギーで発電機を回して電力を発生する装置のことです。このため、原子力発電の原理を知るには原子核の構造を知っておく必要があります。少し複雑になりますが、最初に説明をしておきましょう。

原子核とは？

この世に存在するすべての物質は**原子**という微小粒子からできていて、「原子は雲でできた球のようなもの」と考えられます。雲のように見えるのは電子雲であり、複数個の**電子**（記号：e）でできています。電子の質量（重さ）は無視できるほど小さいですが、1個の電子は-1（単位）の電荷を持っています。

電子雲は原子の化学的な性質や反応性を支配

するもので、化学反応に決定的な影響力を持ちます。

原子の直径は概ね10^{-10}m（0・1nm：ナノメートル）の桁の大きさです。電子雲の中心にある小さくて重い粒子が**原子核**です。そして、原子のほとんどすべての質量（重さ）は原子核にあります。そのため、原子核の密度は1㎤センチあたり3億トンという、とんでもない重さになっています。

この原子核をつくる粒子は二種類あり、それは陽子（記号：p）と中性子（記号：n）です。陽子と中性子の質量はほぼ等しく、これを質量数1と表現します。このように多くの原子核は複数個の陽子と複数個の中性子からできているのですが、パチンコ玉の集合体のように多くの陽子と中性子がジャラジャラと混じっているのではなく、互いに融け合って1個の液滴（えきてき）のようになっていると考えられています。これを原子核の**液滴モデル**といいます。液滴は水滴と同じように、大きくなり過ぎると不安定になって分裂してしまいます。これが原子番号92より大きい原子核が自然界には存在しない理由と考えられています。

原子を構成する陽子の個数を**原子番号**（記号Z）といい、陽子と中性子の個数の和を**質**

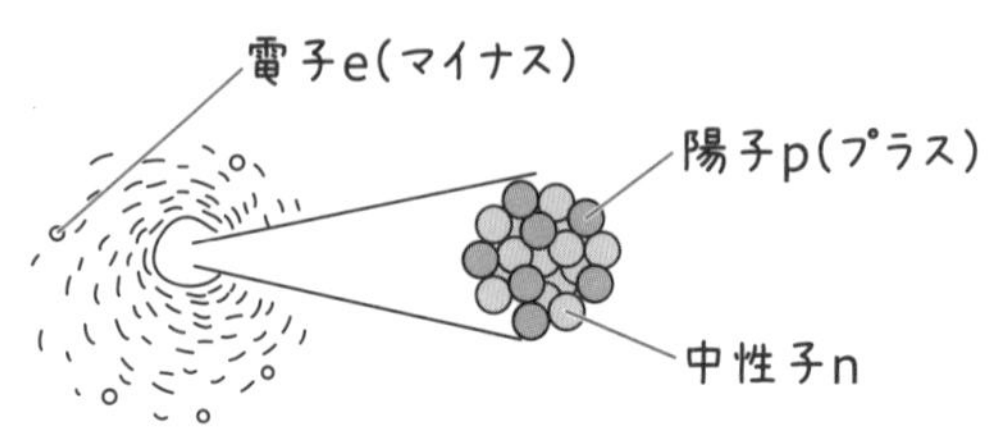

原子と原子核(陽子、中性子)

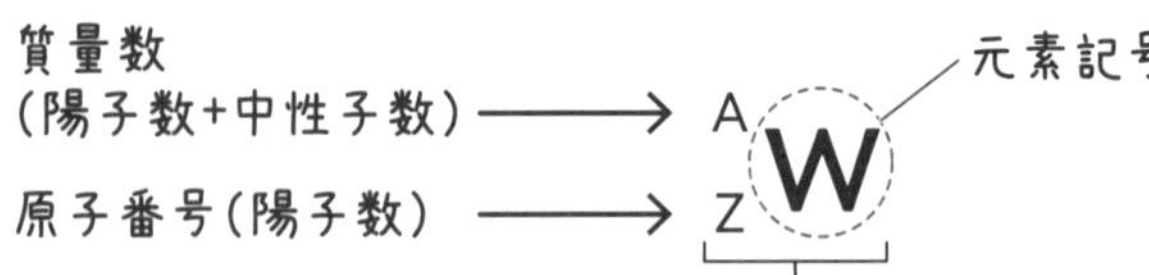

元素記号の見方

量数(A)といいます。ZとAはそれぞれ元素記号の左下、左上につけて表わす約束になっています。原子番号は原子の持つ電子の個数を決定するものであり、「原子番号の等しい原子は、化学的に等しい性質を持つ」ことになります。

原子の中には陽子の個数は等しいけれど、中性子の数が異なるものがあります。これは原子番号Zが同じで質量数Aが異なることを意味し、このような原子を互いに**同位体**といいます。同位体は電子数が等しいため、互いに化学的性質はまったく等しいのですが、質量に関係した物理的な性質や原子核の反応性が大きく異なります。

原子炉の燃料となるウランの場合には、天然に存在するのは238Uが99・3％であり、235Uは0・7％に過ぎません。原子力発電の燃料に使われるのはこの少ないほうの235Uだけです。あとに述べる高速増殖炉では、多いほうの238Uを原子炉の燃料になる239Pu（プルトニウム）に変換して原子炉を稼働する技術が使われています。つまり、高速増殖炉を使えば99・3％の238Uを燃料として使うことができるのです。

放射線・放射能の違いは何？

「原子力は恐い」というイメージがあります。たしかに、事故を起こせば取り返しのつかないことになります。原子力で最も怖いのは放射線でしょう。同位体のうち、不安定で他の原子に変化する同位体を特に「**放射性同位体**」といい、ほとんどすべての元素に存在します。水素のような簡単な元素でさえ、^{3}Hという放射性同位体を持っています。

放射性同位体は不安定な原子です。放射性同位体の原子核は余分な成分やエネルギーを放出して、安定な原子核になろうとします。この時に放出される原子核の成分やエネルギーを「**放射線**」と呼び、これらを放出する反応を「原子核崩壊」といいます。そして、原子核が崩壊する性質を「**放射能**」といいます。ですから、すべての放射性同位体は放射能を持つことになります。

放射性同位体Aは崩壊反応によって放射線を出して、別の同位体Bに変化します。Aの重さが半分になるのに要する時間を半減期といいます。Aの半減期が1年だとすると、1年経てばもとの1／2になりますが、もう1年経てばゼロになるわけではありません。というのは、1／2の1／2、すなわち1／4になるだけです。このため、3年経っても1／2の3乗、すなわち1／8になるだけです。半減期の時間は原子核によって千差万別で、短いもので1秒の数千分の1ですが、長いもので100億年以上と、宇宙の年齢（138億年）より長いものもあります。

エネルギーと質量は本質的に等しい！

原子核には膨大なエネルギーが秘められています。これを明らかにしたのがアインシュタインの相対性理論であり、それに従えばエネルギーEと質量mは本質的に等しく、光速cを係数として、次の式の関係にあることが明らかになっています。

$$E = mc^2$$

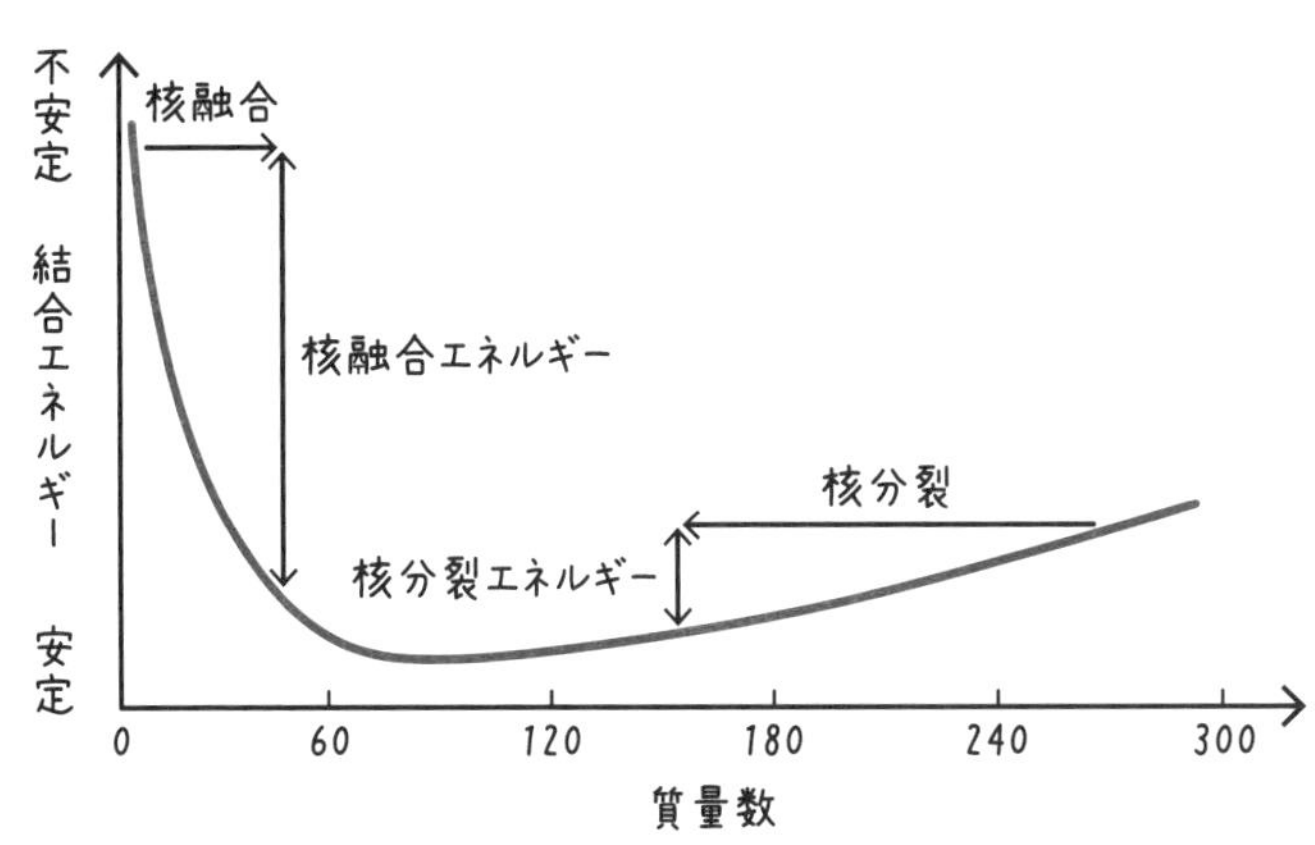

核分裂と核融合のエネルギーの違い

この式で表わされるエネルギーは莫大なもので、広島に落とされた原子爆弾は表現のしようもないほど大きな被害を生みました。しかし、そのエネルギーは質量に直せばたったの0・7gの物質（1円玉は1g）に相当するほどの量でしかありません。つまり、1円玉に満たない重さのウランを変換すると、あれだけのエネルギーになるのです。このエネルギーを破壊的な目的で使ったのが原子爆弾や水素爆弾の核爆弾であり、平和的な目的に用いたものが原子力発電です。

「不安定」より「安定」を志向する

原子核は陽子と中性子からできていますが、この両者の間には**結合エネルギー**というエネルギーが存在します。上図はこの結合エネル

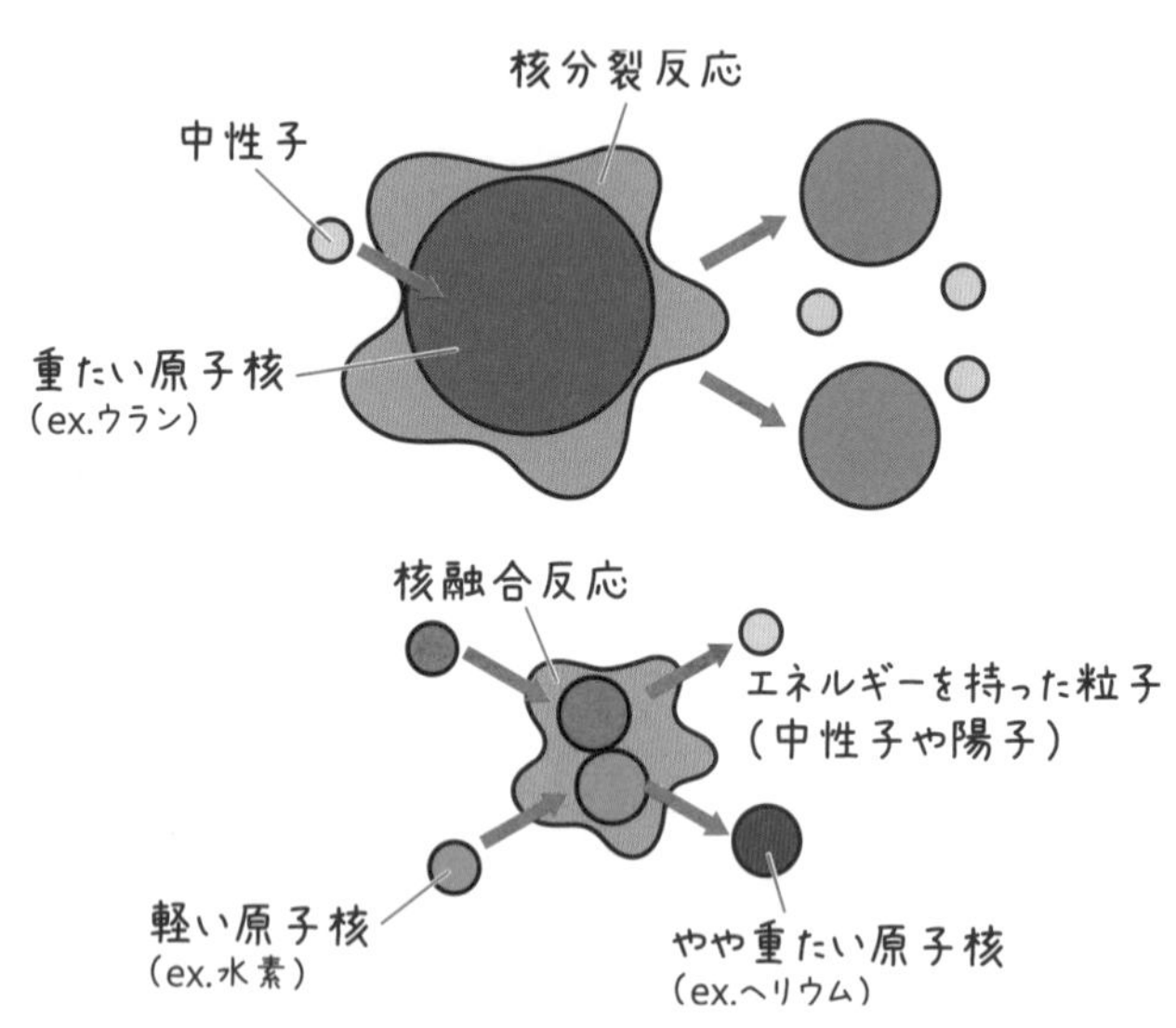

核分裂と核融合の違い

ギー（縦軸）と原子の質量数（横軸：陽子と中性子の個数の和）の関係を表わしたグラフで、いわば原子核の安定度を表わしています。第1章で見たように、図の上部にあるものほど高エネルギーで不安定であり、下部にあるものほど低エネルギーで安定です。

曲線のグラフは、左右の両端で大きくなっています。すなわち、水素H（質量数＝1）のように質量数の小さい原子核も、ウラン（質量数＝238）のように大きい原子核も、共に高エネルギーなのです。極小は質量数60近辺であり、これは鉄の同位体に相当します。つまり、宇宙では鉄が最も安定な原子といえます。

水素Hやヘリウム He（質量数＝4）のように小さな原子核を融合して大きな原子核にしても、反対にウランUのような大きな原子核を壊して小さくしても、ともにエネルギーが発生することを意味します。前者が核融合反応であり、それによって発生するエネルギーを**核融合エネルギー**、後者を核分裂反応、そのエネルギーを**核分裂エネルギー**と呼びます。

原子核はエネルギーの宝庫であり、その宝庫の扉を開くカギは二つあります。一つは核融合であり、もう一つが核分裂です。核融合は星や太陽のエネルギーの源であり、人類も水素爆弾という破壊兵器で応用はしたものの、平和利用にはまだ至っていません。しかし核分裂のほうは、原子爆弾という破壊兵器に利用しましたが、そのあとは原子力発電という平和利用に着々と実績を積み重ねています。

原子炉の原理はどうなっている？

原子炉

原子核反応を制御しつつ、原子力の莫大なエネルギーを少量ずつ取り出す役目。

核分裂反応を、平和的な原子炉として利用するにはどうすればよいのでしょうか。原子炉を稼働させる原理を見てみましょう。

235Uの核分裂反応

何度もいいますが、現在の原子炉の燃料として利用されるのは「ウラン235（235U）」だけです。235Uの原子核に中性子nが衝突すると、原子核は壊れて（核分裂）、核分裂生成物、放射線と複数個の中性子に分裂し、同時に膨大なエネルギー（核分裂エネルギー）を発生します。昔はこの核分裂生成物を「死の灰」と呼びましたが、現在は「**使用済み核燃料**」と呼んでいます。

235Uが中性子との衝突で分裂すると、

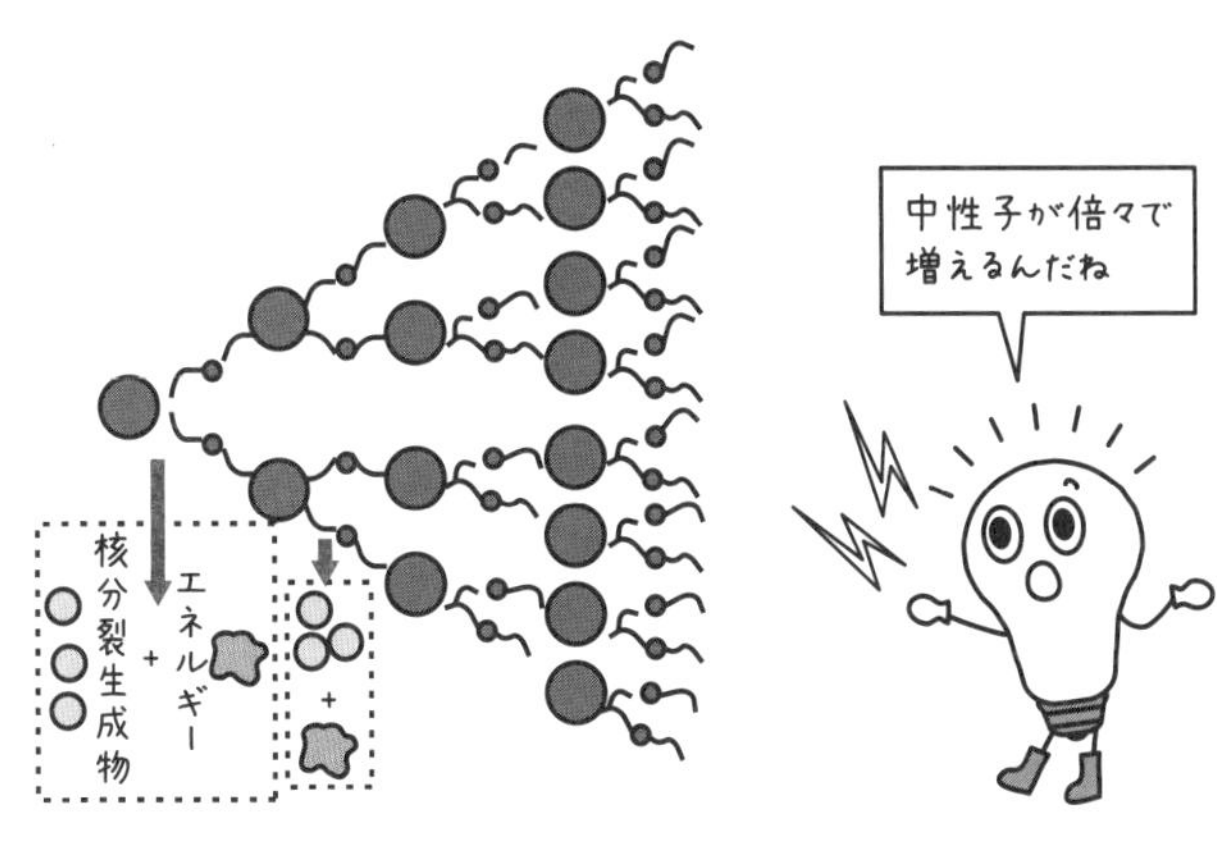

爆発反応が増殖する

複数個の中性子が発生しますが、簡略のため、この中性子の個数を2個としましょう。この2個の中性子がそれぞれ次の２３５Ｕに衝突すると、2世代目の反応として核分裂し、それぞれが2個の中性子を放出するので、中性子数は4個となります。同じような反応が繰り返されると、中性子の個数は2個、4個、8個、16個……と倍々ゲームで拡大していきます。このような反応を枝分かれ連鎖反応といいます。**枝分かれ連鎖反応**の行きつく先は爆発であり、それが原子爆弾なのです。

このような２３５Ｕが核爆発を起こさず、大人しく地中に眠っているのはなぜでしょうか。それは「２３５Ｕの塊が小さい」からです。２３５Ｕの小さな塊（ウラン塊）では、核分裂で発生した中性子は、次の原子核に衝突しようとウロウロしている間に、ウラン塊の外に飛び出してしまいます。すなわち、ウランの塊が小さいと衝突の確率が小さ過ぎて連鎖反応に至らないのです。

しかし、ウラン塊が「ある大きさ」になると、235Uは黙っていてもひとりでに核分裂反応を起こします。この量を**臨界量**といい、原子核反応では非常に重要な量です。

ウランの濃縮

天然ウランに含まれる235Uの割合は0・7%に過ぎません。効果的に核分裂を起こさせるためには、この濃度では足りません。原子炉の場合で数%、原子爆弾の場合には数十%（75%以上）にまで高める必要があります。この操作を**濃縮**といいます。

235Uと238Uを分離するには、多少原始的ですが、「重さの違い」を用いた物理的な手段に頼らざるを得ません。とはいっても、重さの比は235、238で、1%ほどの違いでしかありません。

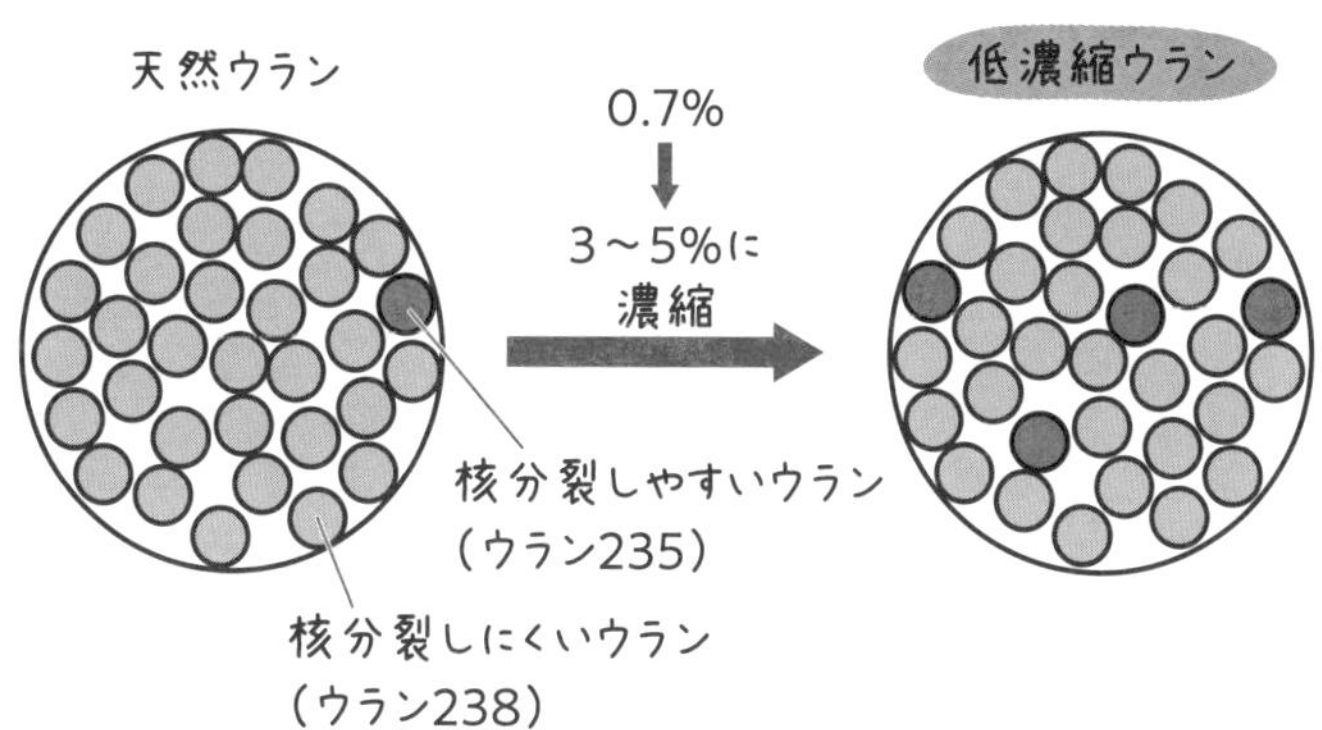

原発燃料用に分裂しやすくするウランの濃縮

まず、ウランをフッ素Fと反応させて気体の六フッ化ウランUF_6にします。そして、この気体を遠心分離機にかけるのです。重い$^{238}UF_6$は遠心分離機の外周部に、軽い$^{235}UF_6$は内周部に集まります。この内周部を取り出し、さらに遠心分離機にかけ、その内周部をまた取り出し……という操作を延々と繰り返します。

この操作のためには、静かで高性能なモーターと膨大な電力を必要とします。つまり、高度な科学力と経済力を持った国でないと核爆弾を持つことは困難ということですね。

コラム 原子爆弾と水素爆弾

一般に原子核を用いた爆弾を核爆弾といい、原子爆弾と水素爆弾があります。原子爆弾は核分裂反応、水素爆弾は核融合反応を用いたものであり、原理はまったく異なります。第二次大戦末期、日本の広島と長崎に原子爆弾が落とされ、多くの犠牲者を出しましたが、この2発の原子爆弾はまったく異なる種類の爆弾でした。

原子爆弾は簡単にいえば臨界量の235Uをいくつかの塊に分割し、爆発させたい時に化学爆薬を使って融合させればよいだけです。あとは235Uが勝手に爆発してくれます。したがって、実際に原子爆弾をつくるためには、容器の設計製作ではなく、容器に爆薬が入っているかどうか、235Uを調達できるかどうかにかかっているのです。

原子爆弾の容れ物だけなら、気の利いた町工場なら一週間もあればつくることができるでしょう。そのため、235Uがテロリストなどの手に渡らないように、世界中が目を光らせています。

広島に落された原子爆弾は「リトルボーイ」と呼ばれ、臨界量のウランを二分割して円筒の中に入れ、化学爆薬によって融合させるタイプで、銃身型といわれました。長崎に落された原子爆弾は「ファットマン」と呼ばれ、ウランではなくプルトニウムを用いていました。プルトニウムをいくつかの細片に分け、爆薬によって一か所に集中させて臨界量とするもので、正確な計算と精密な工作を要する爆縮型でした。現在の原子爆弾は多くが後者のタイプといわれています。

核爆弾の爆発力は、同じ規模の爆発を起こすのに要する化学爆薬（トリニトロトルエン、ＴＮＴ）の重量で表わされます。原子爆弾はせいぜい数十キロトン（数万トン）単位です。それに対し、水素爆弾は水素原子を核融合させてヘリウム原子にする時のエネルギーを用いるタイプです。

実験に初めて成功したのはアメリカで、１９５２年のことでした。この時には液化した水素を原子爆弾の熱で核融合させるものであり、水素の液化装置などを含めて総重量65トンという非実用的なものでしたが、爆発力は原子爆弾の１００倍に達する10・４メガトン（１０４０万トン）でした。

その後、１９６１年には旧ソビエトが史上最強の爆弾ツァーリボンベ（皇帝爆弾）をシベリア上空で爆発させました。この爆発力は50メガトン（５０００万トン）あり、第二次世界大戦で使われた全爆薬の10倍に達したといわれます。

原発は原子炉と発電機でできている

発電機＋原子炉

電気を起こすのが発電機、水蒸気をつくるボイラーの役が原子炉。原子炉にも用途に応じてタイプがいろいろある。

原子力発電は、235Uの原子核分裂にともなって発生する原子核エネルギーを利用し、発電を行なう装置のことです。実際の発電装置、および核分裂反応を行なう原子炉はどのようになっているのでしょう。

注意しておきたいのは、原子炉は発電装置（発電機）ではない、ということです。原子力発電の基本原理は火力発電とまったく同じです。火力発電ではボイラーで化石燃料を燃やした熱で水を加熱して水蒸気にします。そして、この水蒸気を発電機のタービンに吹きつけてタービンを回して発電します。

原子力発電所は、「発電機」と「原子炉」という本質的にまったく別個の二つの部分からできています。

発電機：電気を起こす設備であり、火力発電所のものとまったく同じ。

原子炉：原子炉とは、水蒸気をつくる装置のこと。火力発電所のボイラーと同じ。

これは原子力発電にとって本質的なことです。原子力発電というと「原子力」が「電力」に変化するという、なにやら現代科学の魔法のように思われるかもしれませんが、そんなことはありません。たしかに原子炉は現代科学の粋を尽くした装置ですが、やっていることは「お湯を沸かしているだけ」なのです。

原子炉の構造

次ページの図は、これ以上簡略化できないほどに簡略化した原子力発電所の概念図です。原子炉と発電機がパイプで結ばれています。原子炉は複雑な装置ですが、主な構成要素は五つに分けて考えることができます。

①圧力容器、格納器

原子炉は、放射線が外部に漏れ出すのを防ぐため、また、地震や火事などの災害から守るため、厳重な圧力容器の中に組み込まれ、さらに格納器で覆われています。

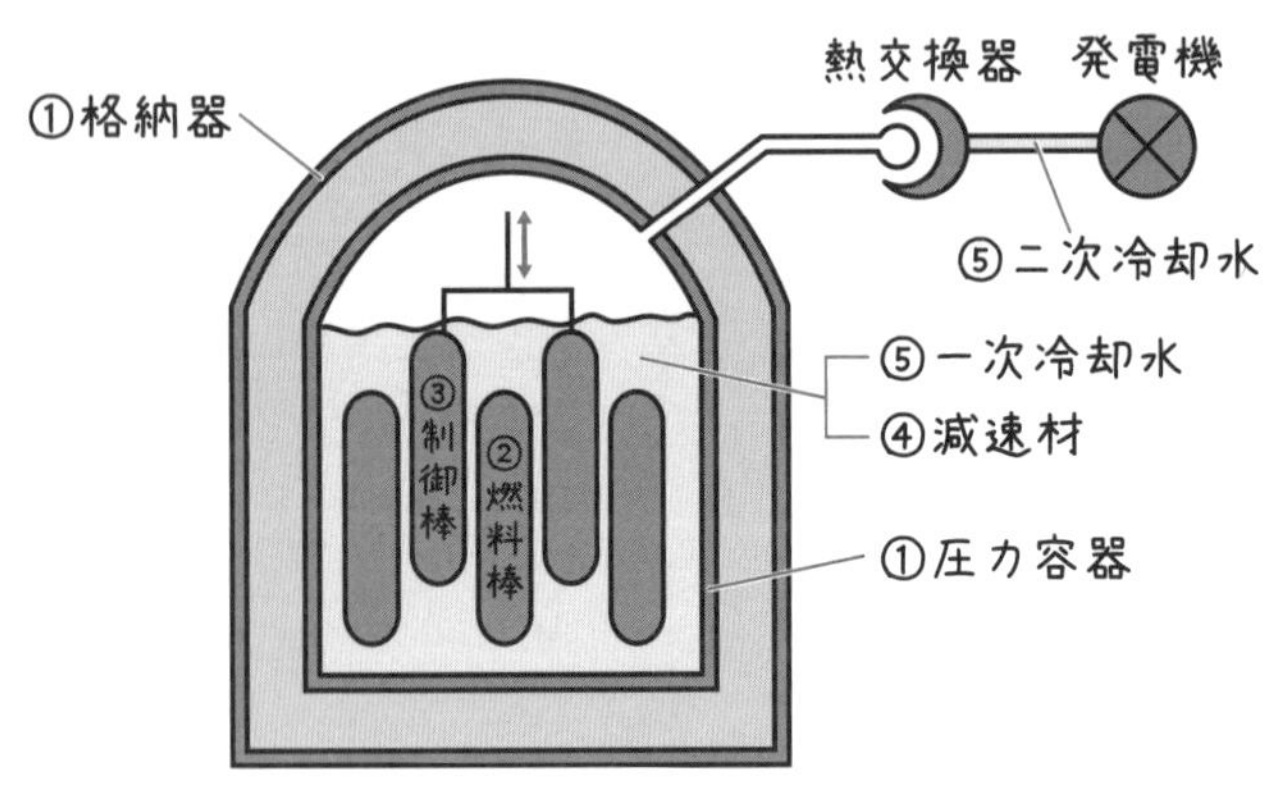

原子炉の構造

②燃料棒（燃料集合体）

濃縮した235Uを直径1㎝ほどのボタン状のペレットにしたものを何個も細い金属性円筒（これが燃料棒）に入れ、それを何本かまとめたものです。

③制御棒（制御材）

核分裂のエネルギーを一挙に噴出させれば原爆になってしまいます。原子炉で大事なのは、「エネルギーを小出しにさせる」ことで、反応が拡大する枝分かれ連鎖反応を「拡大しない定常連鎖反応」に換えなければなりません。

そのために必要なことは、1回の核分裂で発生する中性子の個数（N）を制御することです。このNが1より大きいと核爆発になり、ちょうど1なら定常燃焼（原子炉）で、1より小さいと「収束」します。連鎖反応を同じ大きさで連続させる（定常反応）ためには1回の核分裂で発生する中性子の数Nを1にしなければなりません。このための装置が「制御材」で、アクセルとブレーキの役目を果たします。

制御材は原子炉内の余分な中性子を吸収します。制御材を燃料体の間に深く挿入すれば多くの中性子が吸収されるのでNが小さくなり、原子炉の出力は落ち、反対に引き抜けば出力は上がります。

④減速材

核分裂で生じた中性子は核分裂エネルギーという大きな運動エネルギーを持っているため、光速の何分の一というような高速で飛び回っています。このような高速の中性子がウラン塊の中に飛び込んでも、あっという間に塊を突き抜けてしまい、原子核に衝突する確率は小さくなります。このため、核分裂を効果的に推進するためには、高速中性子の速度を落として低速の熱中性子にする必要があります。その装置が減速材です。

中性子は電荷も磁性も持っていないので原始的ですが、衝突によるエネルギー授受で速度を落とす以外に方法はありません。そのためには中性子を自身と同じ質量を持った物質に衝突させるのが効果的です。それは陽子、すなわち水素原子核です。ということで、減速材には水素（すなわち水）が用いられます。

⑤冷却材

冷却材は原子炉の熱を発電機に伝えるための熱媒体で、材料は水です。水は④の減速材と同じ物質です。すなわち、軽水（普通の水、^1H_2O）炉では減速材と冷却材は同じものなのです。この水が水蒸気になって、直接発電機を回します。

冷却水は燃料体の間を回っていますから、放射線で汚染されています。このような冷却水を一次冷却水といいます。一次冷却水が環境に漏れ出しては危険なので、熱交換機によって熱を、汚染と関係のない二次冷却水に伝達します。

かつて、原子炉でよく起こった事故が冷却水漏れ事故でした。そのたびにされた説明が「漏れたのは二次冷却水なので環境への影響はない」というものだったのは、このような意味だったのです。以上が、原子炉の大まかな構造と機能です。

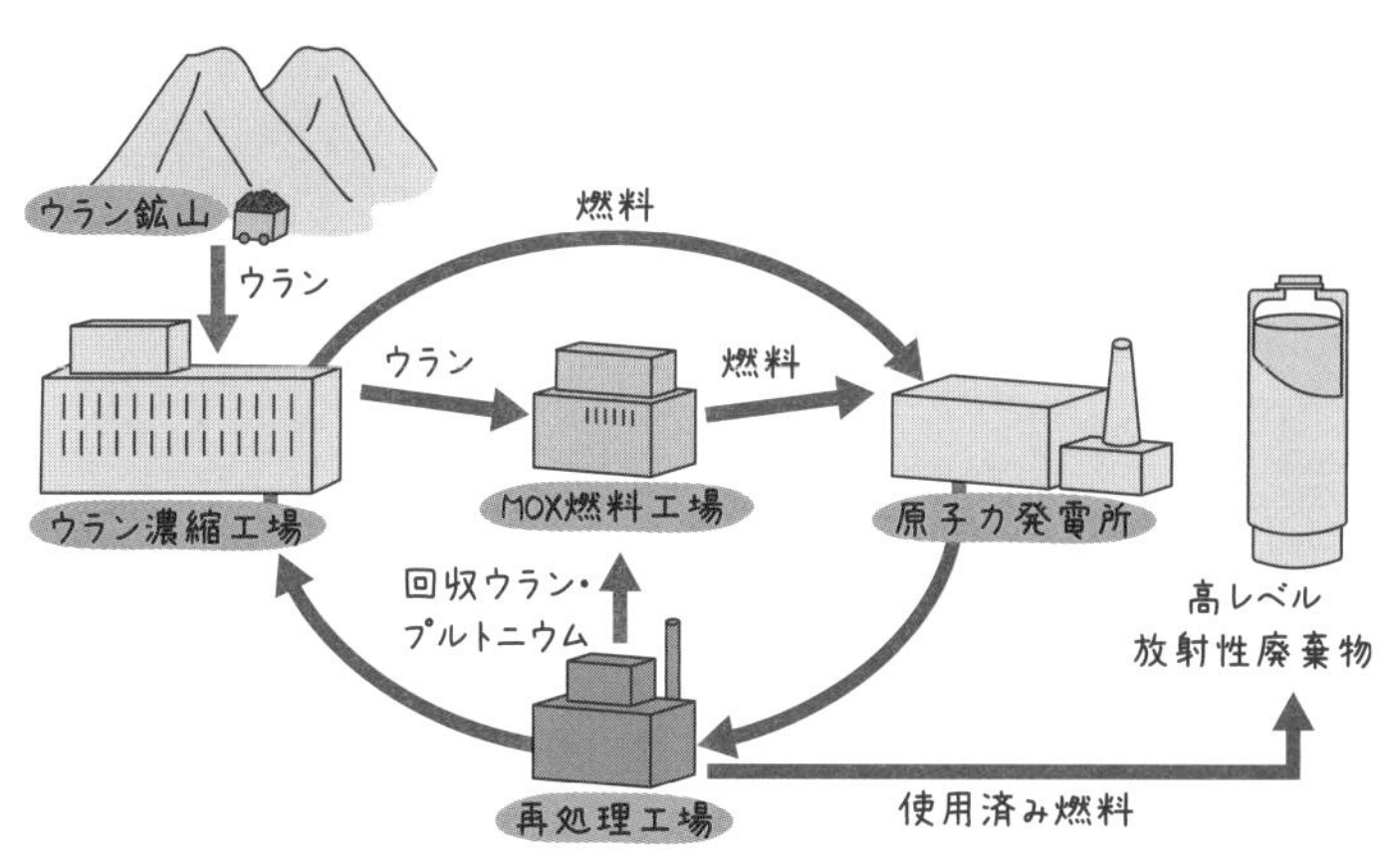

放射性廃棄物の行方はどこ？

トイレのない高級マンション？

さて、燃焼（核分裂）を終えた燃料棒は原子炉から順次引き出され、使用済み核燃料として保管プールの水の中に保管されます。使用済み核燃料は核分裂によって生じた放射性原子核の集合体ですから、放射線と熱を出す危険極まりないものです。

その後、保管プールで適当な期間冷却され、化学的な抽出によってプルトニウムを除かれます。この操作を**再処理**といいます。その後、プルトニウム以外の放射性廃棄物は頑丈な容器に入れられ、放射性同位体が核分裂を終えて安定になるまで、何千年かの間、保管庫で保管される「はず」です。

「はず」というのは、現状ではスウェーデンを除いて、どこの国も保管庫を持っていないからです。将来、保管庫をつくる予定はあるのですが、現在は、日本の場合には保管庫の建設を引き受けてくれる自治体が存在せず、適当なところに暫定的に置いてあるだけです。この状態は「トイレのない高級マンション」と揶揄(やゆ)されています。一刻も早くこの状況から脱却しなければならないのは明らかですが、保管期間が何千年になるのか誰もわからない危険物を、どこの自治体が引き受けるのでしょうか……。

コラム 世界の原子力事情

２０１１年の東日本大震災における福島県での原子力発電所事故は、世界中に原子力発電の安全に関して深刻な懸念をもたらしました。しかし、それから10年たった今も、世界の原子力に対する需要は衰えていないようです。

世界原子力協会によると現在、世界32カ国と台湾に約４４０基の原子力発電所があり、電力の約10％を供給していると言います。原子力発電は、水力発電に次いで第2位の低炭素電源なのです。最大の原子力発電国は米国で、同国の電力需要の20％を占めます。その量は電力需要の75％を原子力に依存するフランスの2倍、中国の2・5倍、ロシアの４倍になります。ロシアでは２０２０年から高速増殖炉の商業運転が始まっています。

各国が化石燃料を廃止し、CO_2の排出量を削減しようとする中、原子力発電の需要は高まっているようです。中国、インド、ロシア、ＵＡＥなど16カ国で原子炉約50基が建設中であり、さらに１００基が発注または計画中と言います。既存施設の拡張や耐用年数の延長まで含めると、３００基が計画されているそうです。

原子力発電で注目されるのはドイツです。２０１１年の福島原発事故当時、ドイツでは17基の原子力発電所が稼働していましたが、事故の重大さに気づくと、２０２２年までに原子力発電所を全廃することにしました。

原子力発電に代わる電力は風力発電、太陽電池発電などの再生可能エネルギーで賄っています。ドイツにこのようなことが可能なのは、ヨーロッパの電力事情があります。ヨーロッパはたくさんの国が陸続きになっています。そして電力網は網の目のように各国間に広がっています。つまり、ドイツに限らず、ヨーロッパ諸国は自国の電力が不足した場合、他国から買うことができるのです。このようにしてドイツも、天候事情などで再生可能エネルギーが不足した時には外国から電力を購入して凌いでいます。

それにしても、日本の場合は火力発電の増大を抑えることはできず、二酸化炭素の発生量は看過できないまでになっているようです。日本は島国なので、残念ながら隣国から電力を買うことはできません。再生可能エネルギーを用いる場合には、天候による不足を見越して過剰な電力供給能力を確保しておかなければなりません。

そのためにも大容量の蓄電設備が必要となります。将来、電力を無線で送ることが可能になれば、海外から電力を購入することもできるでしょうが、電力の無線送達は実験では成功していますが、大電力での実用化はできていません。かといって再度原子力発電に舵を切ることは国民感情が許さないようです。

高速増殖炉の「増殖」とは？

高速増殖炉

使った燃料以上の燃料を発生する魔法の原子炉。主役はウランではなく、プルトニウム。

高速増殖炉の「増殖」とは「燃料を増殖する」という意味です。ですから、「高速に燃料を増殖する原子炉」かと思いそうですが、違います。ここでいう「高速」とは、「高速中性子を用いる」という意味です。「高速中性子を使って燃料を増殖する」ということなのです。まるで魔法のような原子炉です。

魔法のような「高速増殖炉」の原理

高速増殖炉が燃料を増やす原理は単純明快です。次ページ図のように、燃料であるプルトニウム239の周りを燃料にならないウラン238で包んだものをつくり、これを原子炉で燃料として使用します。すると、中心のプルトニウム239は核分裂を起こし、エネルギーを発生すると同時に高速中性子を発生

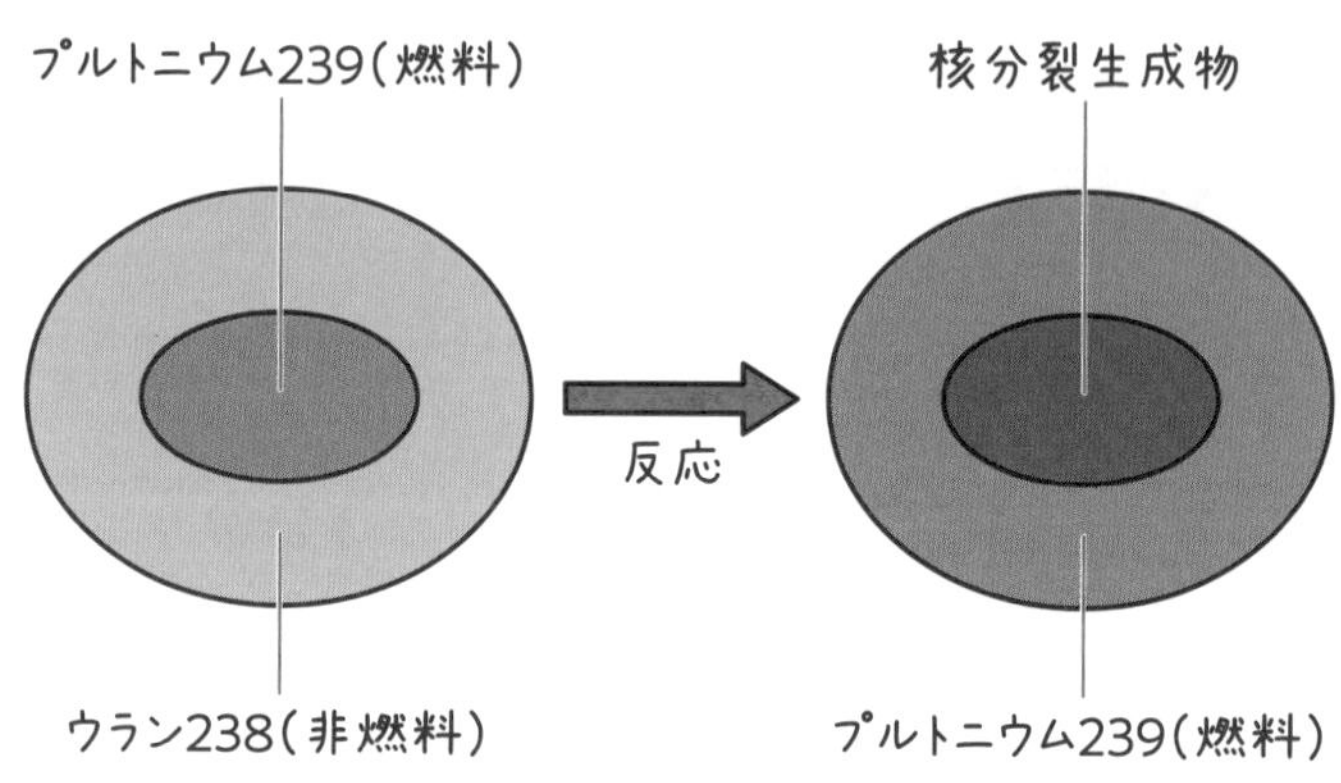

非燃料を燃料に変えるイメージ

します。この高速中性子が外側のウラン238に衝突し、燃料にならないウラン238を燃料となるプルトニウム239に変えるのです。

では、最初の燃料であるプルトニウム239をどのようにして手に入れればよいのでしょうか。何と、プルトニウム239はわざわざつくらなくても、原子炉の中でできています。普通の原子炉の燃料に使われるウランに占めるウラン235の割合は数%に過ぎず、残り95%ほどはウラン238です。これが原子炉の中で減速前の高速中性子と反応し、いわば原子炉の副産物として使用済み核燃料の中に存在しています。つまり、原子炉を稼働させればプルトニウム239が生成されるのです。使用済み核燃料からプルトニウム

239を分離する操作を再処理というのは、先に見た通りです。

したがって原子炉が稼働し、その使用済み核燃料を再処理する限り、プルトニウム239は増え続ける運命にあります。日本はこの運命を負っています。しかも、プルトニウム239は原子爆弾の原料です。「日本自身が核保有国になるつもりでは？」と痛くもない腹を探られることになります。そこでプルトニウム239を増やさないために出てきたのが**プルサーマル計画**です。これはウランとプルトニウムを混ぜたモックス（MOX）燃料というものをつくり、普通の原子炉で燃料として使ってしまおうというものです。

高速増殖炉の問題点

高速増殖炉の問題は冷却材にあります。ウラン238をプルトニウム239に換えるためには高速中性子を必要とします。ところが、普通の原子炉で使う冷却剤の軽水（H_2O）や重水（D_2O）は減速材としての働きがあり、高速中性子を低速の熱中性子に換えてしまいます。これでは、ウラン238をプルトニウム239に換えることはできません。

つまり、高速増殖炉では冷却材として水を使えないのです。水の代わりとして思いつくのが油ですが、油はCH_2単位の連続したもので、水と同等か、それ以上に多くの水素を含んでいるため、高速増殖炉には使えません。水銀はどうでしょうか。水銀は液体金属ですが、問題はその密度（13・6）です。鉄の2倍近くも重い物体が原子炉内の細いパイプの中を高速で移動したのでは、原子炉の機械的強度が持ちません。

そこで考えられたのがナトリウムです。ナトリウムは原子量23、密度0・97であり、水より軽い金属で、融点は98℃（水の沸点は100℃）なので、よさそうです。ただ、ナトリウムは非常に反応性の高い金属です。水と反応して水素を発生し、これに反応熱の火が着いて爆発します。1996年に福井県にある高速増殖炉の実験炉もんじゅで起こったナトリウム漏れは、このような事故につながる可能性のあるものだったのです。

ということで、日本では1996年以降、高速増殖炉の実験は中断されていました。ようやく2010年にナトリウム漏れ箇所を修理して実験開始に漕ぎつけようとしたのですが、その準備作業中にクレーンで釣った炉内中継装置を炉内に落とす事故を起こし、また中断。さらに組織の管理体制などに不備が見つかり、結局、「修復不能」と判断されて実験中止と決定されました。

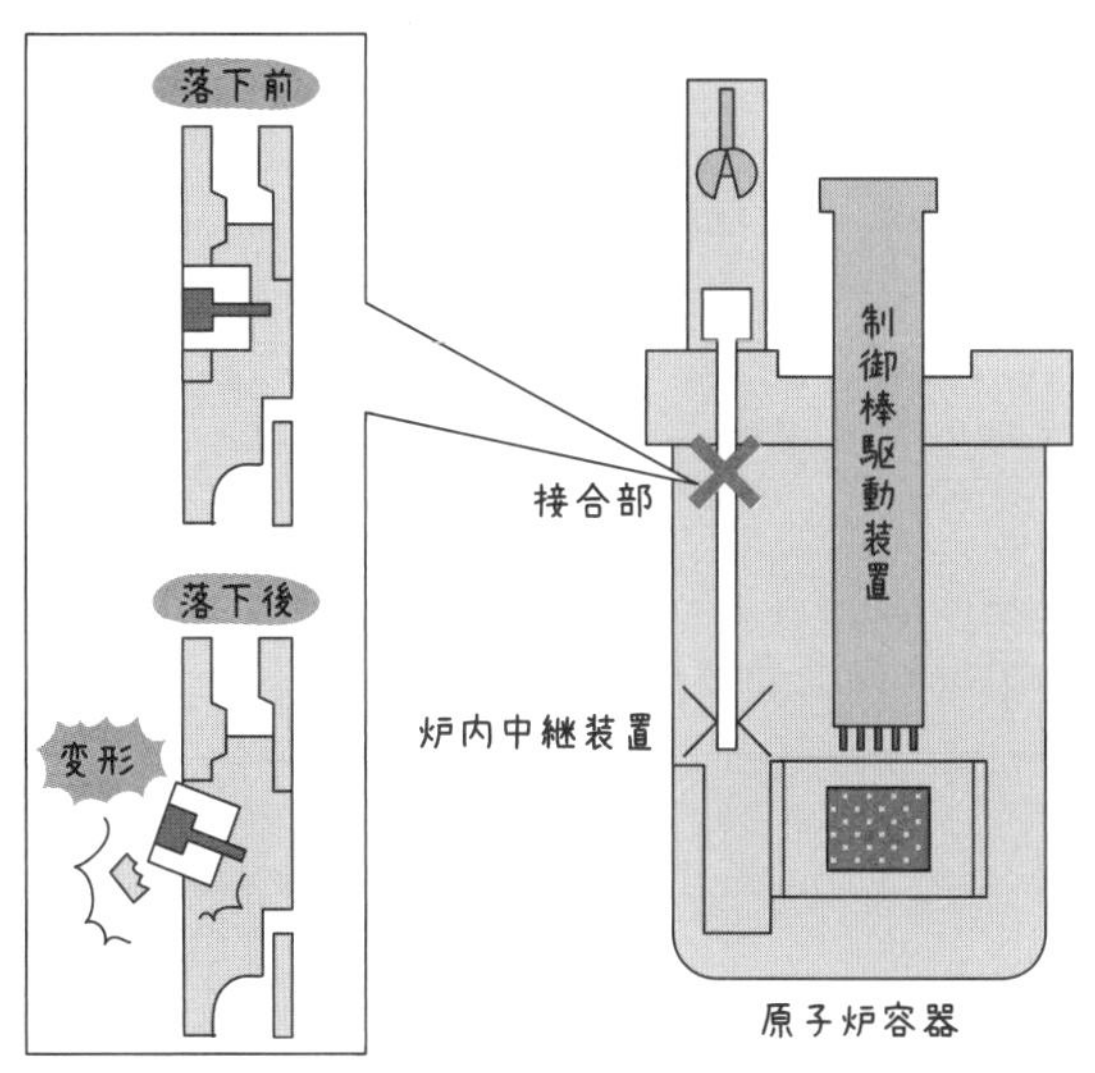

高速増殖炉内の中継装置の変形イメージ

世界中の国が高速増殖炉の素晴らしさは理解していても、技術的な難しさから開発実験から手を引いています。そのような中、ロシアでは2020年に高速増殖炉の商業運転が開始されました。ロシアは旧ソビエト連邦時代の1986年にチェルノブイリ事故と呼ばれる大きな原子炉事故を起こし、その後始末はいまだついていないといいます。二度と事故が起きないことを祈るばかりです。

トリウム原子炉って、何？

トリウム原子炉

新しい核燃料、トリウムを用いた原子炉。原料のトリウムは豊富だが、中国・インドに資源が偏る。

原子炉の燃料となる原子核はウラン235や、人工元素のプルトニウム239だけではありません。それが**トリウム232**です。

誰がために原子炉はある？

『誰がために鐘は鳴る』――アーネスト・ヘミングウェイの名作は1943年にゲイリー・クーパーとイングリッド・バーグマンの主演で映画化され、多くの人の涙を誘いました。スペインの内乱で亡くなった人のために鳴らされるという弔鐘(ちょうしょう)は一体、誰のために鳴らされているのでしょうか。

20世紀中葉、原子炉の可能性について熱い議論が交わされました。その当時、将来の原子炉燃料の候補に挙がったのはウランとトリウムだったといいます。ウランがよいのか、トリウムがよいのかは意見の分かれるところであったものの、結果として採用されたのはウランでした。なぜウランだったのでしょうか。

核エネルギーの話には核兵器の話が影のように寄り添います。ましてアメリカと旧ソビエトという東西両陣営が存在し、冷戦なるものが繰り広げられていた当時としては、核兵器の影は世界全体を覆う濃いものでした。ウランかトリウムかの論戦に断を下したのは軍事的な効用だったといいます。核爆弾にはウランかプルトニウムを使います。そして、核爆弾として優れているのはプルトニウムといいます。ウラン原子炉が稼働すれば、望まなくてもプルトニウムが生産されます。それに対し、トリウム原子炉はプルトニウムを生産しないのです。

しかし、純粋にエネルギー面だけで比較をすれば、トリウムのほうが有利ともいいます。特に現在では核の拡散が問題になっています。核爆弾を持つ国が今より増えたのでは、不測の事態に対処できません。そのため、使用済み核燃料の再処理によるプルトニウムの抽出、保持、まして使用には各国が神経を尖らせています。このような時に、プルトニウム生産に適しないというトリウム原子炉の特徴は長所にこそなれ、短所になることはない、というわけです。

トリウム原子炉

地殻中に存在する全元素86種類（希ガス元素は地中には存在しません）の存在濃度とその順序を表わした指標に**クラーク数**というものがあります。それによると、ウランは53位で濃度は4ppmです。それに対してトリウムは38位で12ppmと、ウランの3倍も多く存在します。38位というのはヒ素（49位）、水銀（65位）、銀（69位）などより、よほど多く存在するということです。しかも、天然トリウムには同位体はほとんどなく、ほぼ100％が核燃料になる放射性のトリウム232というのも大きな利点です。

トリウム原子炉は、核燃料としてこのトリウム232を使うものです。しかし、トリウムそのものを核分裂させるのではありません。トリウム232に中性子を放射するとトリウム233に変わり、これがβ崩壊をしてプロトアクチニウム233となり、さらにβ崩壊してウラン233になります。そしてこのウラン233が熱中性子によって核分裂を起こし、原子核エネルギーを放出するというわけです。高速増殖炉でウラン238が高速中性子と反応して、プルトニウム239となるのと似ています。

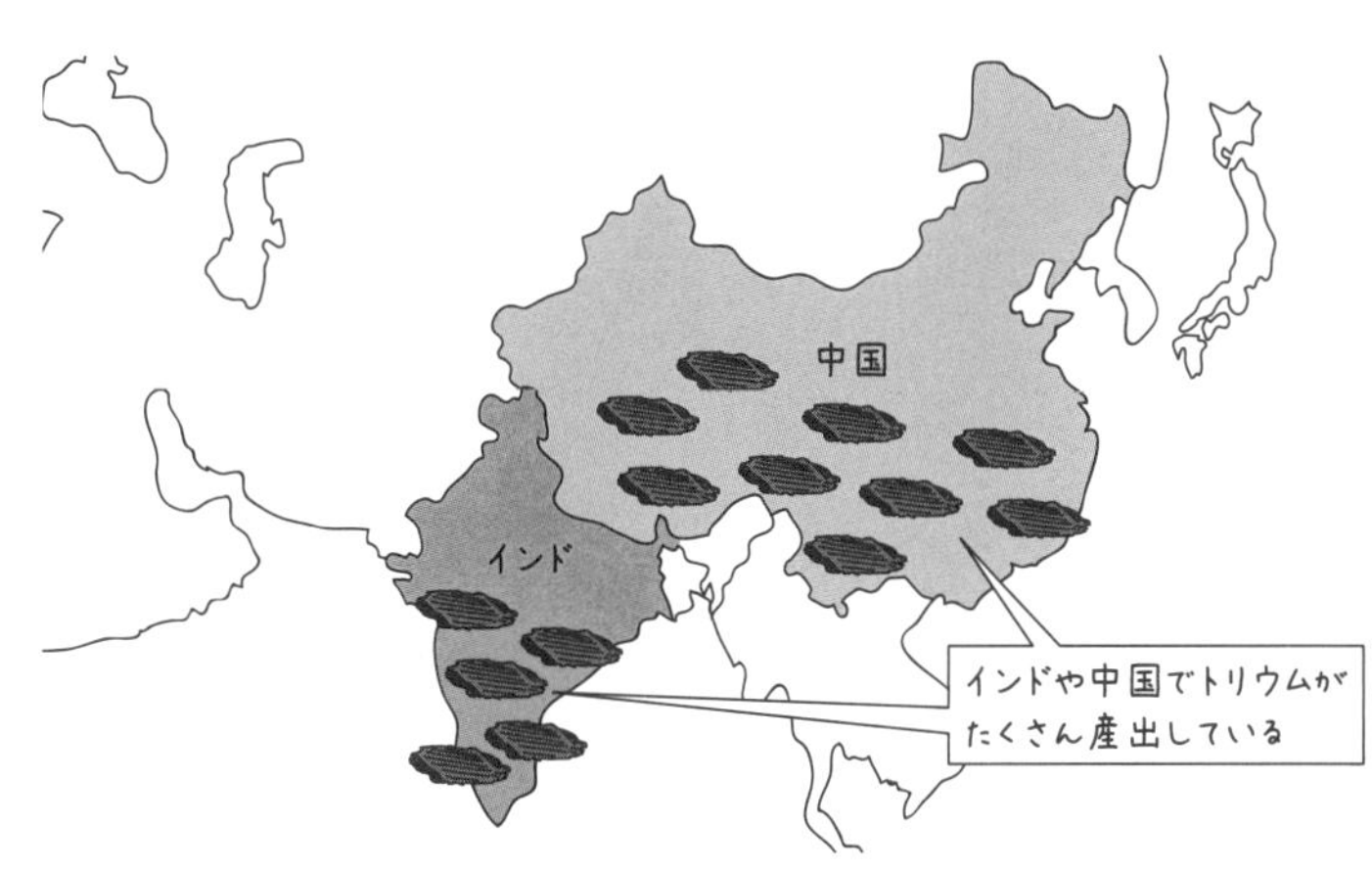

ウランの3倍も多く存在するトリウム

トリウム原子炉は新しいタイプの原子炉であり、解決しなければならない問題もありますが、実はこの原型炉はすでに1960年代に数年にわたって安全に稼働していたという実績もあります。今後各国が本腰を入れれば、実用的な商業炉の開発はそれほど難しくないかもしれません。本当の問題点はウラン原子炉で完成している現在の原子炉体系、インフラ群の中に新しいコンセプトのものをどのようにして混ぜていくかという、経済的、政治的な面にあるのかもしれません。

トリウムに絡んでは、もう一つ問題があります。それはトリウムの産出です。現在、インド、中国はウラン資源に乏しく、これらの輸入国です。ところが、トリウムに関してはインドや中国が多いのです。特にトリウムは今問題になっているレアアース（希土類、レアアース、レアメタルについては次ページのコラムを参照）と一緒に産出します。

中国は世界のレアアース埋蔵量の30％、生産量の90％以上を誇ります。中国のレアアースに占めるトリウムの割合は、インドのレアアースに比べて少ないといいますが、それにしても量が圧倒的です。トリウム原子炉が実用化すれば、今後、中国―インドを軸にして世界の原子力戦略に大きな影響を及ぼしていくのではないでしょうか。日本も準備が必要かもしれませんね。

コラム　トリウムとレアアース

現代科学産業に欠かせない金属元素のうち、わが国でほとんど産出しないものをレアメタルといいます。天然に存在する金属元素およそ70種類のうち、55種類（２０２０年10月現在。以前は47種類）が**レアメタル**に指定されていますが、そのうち17種類を特に**レアアース**（希土類元素）といいます。

レアアースは発光性、発色性、磁性、レーザー発振性など、現代科学の中でも特に最先端部分に関与する元素です。ところが、このレアアース元素の鉱石に相当するモナザイト鉱石にはトリウムが含まれています。多い場合には10％ほども含まれるといいます。

レアアースは多くの国で産出しますが、単離精製して市販したものは大部分が中国製です。それは17種類のレアアース金属は互いに性質が酷似していて単離が難しいということもありますが、もう一つは危険な放射性元素トリウムを含むことにあるといいます。

日本で単離精製の工場をつくろうとしても住民が許さないでしょう。環境問題に大らかな中国だからこそ、できるのだということです。

6

「地球に太陽」を持ち込む核融合炉

核融合炉

太陽、水素爆弾と同じ原理だが、実用化は数十年先か。

夜空には無数の星が散らばっています。この星は恒星であり、太陽と同じものです。恒星は水素原子の集まりであり、内部は数億度という高温になり、水素原子は核融合してヘリウムに変化しています。この核融合反応で発生する**核融合エネルギー**によって、恒星は熱く明るく輝いているのです。

核融合炉とは、この核融合反応を人類の手によって起こし、制御して、そのエネルギーで発電しようというものです。核融合炉で起こす反応は2個の水素原子核を融合させるものですが、水素原子には地球上に存在するだけで3種類の同位体、すなわち普通の水素原子1H、重水素2H（D）、三重水素3H（T）があります。全宇宙で考えれば少なくとも7

種は存在するだろうといわれます。

したがって、単に水素原子の核融合といっても、水素のどの同位体を融合させるかによって何種類もの組合せがあることになります。現在最も有力と考えられているのは、重水素2H（D）と三重水素3H（T）を反応させる**DT反応**です。

しかし、三重水素は地球上の自然界にはほとんど存在せず、しかもβ線を出して ^{3}He になる放射性で危険な物質です。しかも水素ですから、酸素と反応して三重水素水 $^{3}H^{1}HO$ になります。この物質の化学的性質は普通の水とまったく同じです。いくら危険とわかっていても、環境に漏れ出てしまったら同じ水なので回収の手立てはありません。そこで、この三重水素をも核融合炉で必要な分だけつくることにします。すなわち、原子炉をリチウム ^{7}Li で覆い、それと核融合で発生する中性子を反応させて三重水素をつくるのです。

実用化はまだ遠い〝人工の太陽〟

核融合炉の原型は数種類研究されていますが、現在成果を上げているのは日本などが開発したトカマク型です。ここでは原子から電子を取り外して、原子核と電子の集合体にし

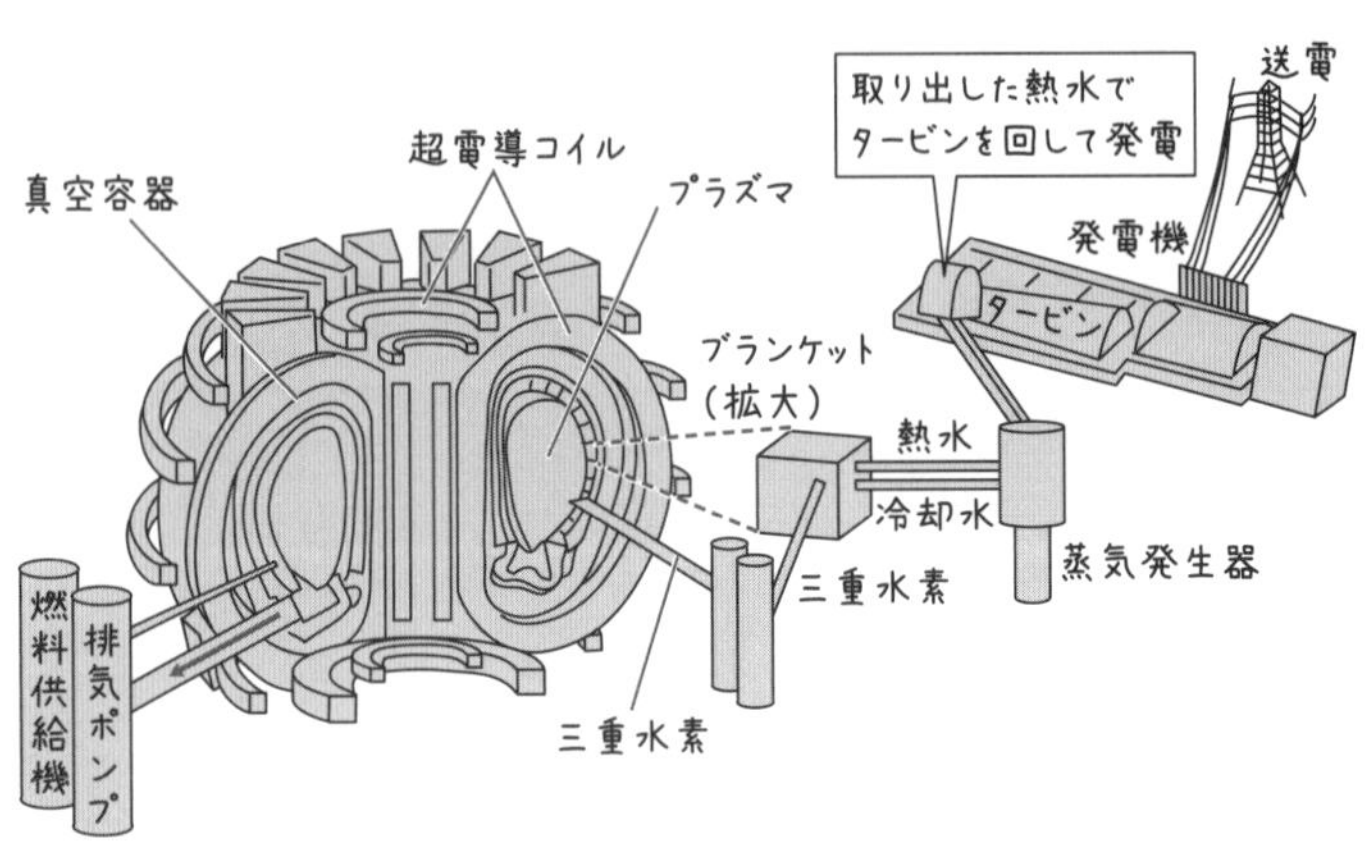

核融合炉のイメージ

ます。このような状態をプラズマといいます。その後、この原子核が衝突して核融合が始まり、核融合エネルギーが放出されます。

しかし、そのためにはプラズマが高い運動エネルギー（熱、温度）を持ち、高密度でいる状態を一定時間維持しなければなりません。そうでないと、その条件を維持するために、外部から加えるエネルギーと、その結果放出されるエネルギーが釣り合いません。要するに「支出が収入以上」になるのです。これが釣り合う条件を**臨界プラズマ条件**といい、以下の三つとなります。

- 温度1億℃以上
- プラズマ密度が100兆個／㎤以上

・持続時間1秒以上

この条件は2007年に達成されました。現在、温度は1億2000万℃を達成しています。

核融合炉は人工の太陽です。これが実用化すれば、人類はエネルギーの心配をすることはなくなるといわれます。日本では岐阜県土岐市の核融合研究所で研究されており、一定の成果を上げていますが、実現はまだ数十年先となるでしょう。

7

原子力発電のコストと問題点

原発の問題点

廃炉を含めたコスト計算、重大事故への対応はどうする？

原子力をいつまでも頼れる味方として近くに置いておくためには、どのような工夫をしたらよいのでしょうか。原子炉で一番怖いのは事故です。これまでにアメリカのスリーマイル島事故（１９７９年）、旧ソビエトのチェルノブイリ事故（１９８６年）、日本の福井県の高速増殖炉事故（１９９６年）、福島県での原子炉事故（２０１１年）など、大きな事故を繰り返してきました。

放射性廃棄物

原子炉が稼働すると必ず出るのが放射性廃棄物で、使用済み核燃料が最大の問題です。使用済み核燃料は不安定な放射性原子核の塊です。放射性原子核の半減期は何万年、長いものでは何億年もあります。この先何万年にもわたって危険な放射線を出し続けます。それが環境に漏れ出さないように、人類にはこの危険物を何万年も〝子守〟をする義務が課せられているのです。

使用済み核燃料には、原子爆弾の材料として欠かせないプルトニウムが入っています。プルトニウムは原子炉の燃料にもなるので、少なくとも日本では使用済み核燃料から抽出し、分け取って保管しています。しかし、プルトニウムを大量に保管すると、原子爆弾をつくる意図があるのかと外国から疑われかねませんし、万が一テロリストの手にでも渡っては大変なことになります。

高速増殖炉の計画が頓挫(とんざ)した日本では、抽出したプルトニウムは燃料として使うのが得策です。そこで行なわれているのがプルサーマル計画です。これはウラン235の燃料棒の中にプルトニウム239を混ぜて一緒に燃やしてしまおう、というものです。

可採年数

原子力というと、資源が枯渇することのない夢のエネルギーなどと思いがちですが、とんでもありません。原子炉の燃料であるウランは金属であり、化石燃料と同じように有限です。可採年数は100〜120年程度です。しかし、これは通常型原子炉でウランに0・7%しか含まれないウラン235だけを燃料とした場合のものです。もし、高速増殖炉で残り99・3%のウラン238まで燃料とすることができれば、単純計算で可採年数は一挙に140倍以上、つまり1万年以上ということになります。細かい試算でも6000年という計算例があるようです。

この他にも、ウランは海水中に溶けていることが知られています。このウランを回収する技術は化学的には完成しています。問題はコストです。いつの日か陸上のウランを掘り尽くしてウラン価格が高騰した時には、海中ウランに活躍の場が与えられるのでしょう。

発電コスト

電気の消費者としては電力料金は気になるところです。電力料金は発電所の減価償却、燃料代、人件費から計算されますが、原子力発電の場合にはもう一つ厄介な問題があります。それは、発電所の撤去費用です。特に原子炉は放射線で汚染されており、それ自体が放射性物質のような状態になっています。

チェルノブイリ原発4号炉の石棺

撮影:Carl Montgomery

このようなものをどのようにして撤去するのでしょうか。そもそも、撤去可能なのでしょうか。もしかすると、日本のあちこちに朽ちた原子炉が廃墟のように並ぶ可能性もあります。チェルノブイリで事故を起こした原子炉は、「石の棺桶(かんおけ)」といわれる分厚いコンクリートで覆われていますが、35年経った現在ではコンクリートの劣化が進み、放射線が漏れているようです。そのため、石の棺桶を二重にする検討が行なわれているといいます。

もし使用済み核燃料と同じように、この先何万年も子守を続けなければならないということになれば、その維持費は一体どのように計算したらよいのでしょうか。発電コストはどうやって計算するのでしょうか。

2011年に起こった福島原子力発電所の後始末は、事故以来10年経った現在でも、いまだ始まったばかりです。この先、何年かかって事態が収束するのか、それまでに費用はいくらかかるのか、壮大な実験といえば実験です。原子力発電には、技術面でもコスト面でもブラックボックスが転がっているといわざるを得ないようです。

エピローグ

将来のエネルギーはどうなる?

エネルギー問題のうち最も注目され、心配されているのは**化石エネルギーの枯渇**です。化石燃料の可採年数は2018年末時点で石炭130年、石油、天然ガス50年とされています。しかし、天然ガスは新しい資源としてシェールガスやコールベッドメタンガスが開発されたため、可採年数は間違いなく伸びるでしょう。石油もオイルサンドやオイルシェール等の新しい資源が発見され、さらに石油の起源そのものに生物起源説以外の説が現れたことによって、これも確実に可採年数は伸びるでしょう。

しかし、植物の化石である石炭の埋蔵量には間違いなく期限があります。このまま推移したら、石炭の可採年数はあまり伸びないでしょう。つまり、現在のところ可採年数の最も長い石炭が、実は最も短かったということになりかねません。

ウランにも可採年数があり、それは100～120年程度とされています。しかし、ウランは海水中にたくさん含まれており、その量は陸上埋蔵量の1000倍との試算もあり、さらに海底の岩盤中にも同程度以上の埋蔵量があるといいます。また、現在の可採年数はウラン235に関するものであり、235Uは全ウラン中の0・7%しかありません。もし、高速増殖炉が実現されて残りの238Uが燃料として加算されることを考えると、第7章で見たようにウランの資源枯渇は現実性の乏しいものになるかもしれません。

アーバンは都市、マインドは鉱山、つまり都市や家庭にある資源鉱山のことです。あなたの家には、金のネックレスが何本も眠っているのではないでしょうか。古いケータイ電話が仕舞われているのでは？　ガレージには擦り切れたタイヤが積んであるのでは？　これらの貴重な資源を利用しようというのが、**アーバン・マインド**の考えです。

エネルギーに限らず、資源問題といえばリサイクルが登場します。リサイクルには二通り考えられます。一つはマテリアルリサイクル、つまり、「製品をもとの原料に戻すリサイクル」です。たとえば、ペットボトルを溶かして原料のポリエチレンテレフタレートにし、これを繊維にしてポリエステルのブラジャーにするようなものです。しかし、回収に要するエネルギーやコストを考えると割りに合わず、実現性が乏しい方法です。

もう一つはサーマルリサイクル、「燃料として燃やしてしまおう」ということです。もちろん、燃やしたエネルギーを有効に使うので、不用品を燃料として再利用しようという考えです。最も現実的で、合理的な回収法といえるでしょう。

エネルギーの活用

私たちはいろいろのエネルギーを使っていますが、そのエネルギーをすべて使っているわけではありません。実は半分以上は使わずに捨てている場合が多いのです。たとえば、内燃機関のエネルギー効率は35％程度といいます。内燃機関で使うエネルギーは貴重な化石燃料を使い、二酸化炭素発生などの犠牲を払って手に入れた大切な熱エネルギーです。その虎の子のエネルギーの２／３を使わないまま捨てているのです。

エネルギーを効率よく使う方法として、エネルギーの「直接利用」があります。エネルギーには多機能のものと単機能のものがあります。電気は電灯を点すことも、パソコンを動かすこともでき、とても多機能です。しかし、熱エネルギーはものを暖めるという単機能です。熱エネルギーで電気を起こすことも可能ですが、それは熱でお湯を沸かし、その蒸気で発電機を回して電気を起こすという、間接的なものです。

あるエネルギーを他のエネルギーに変換する際には、必ずエネルギーロスが起きます。ロスをなくすには、その目的に合ったエネルギーを用いることです。太陽電池で発電した電力でお湯を沸かすのなら、直接、太陽温水器でお湯をつくったほうが合理的でしょう。現在、このようなエネルギーの直接利用が開発されていますが、まだまだ実験段階です。将来の研究開発が待たれる分野ですね。

エネルギーの中には、ムダに捨てられているエネルギーがたくさんあります。これを**廃エネルギー**といいます。夏のエアコンの室外機の前は高温になっています。高温は高エネルギーと同義語です。このエネルギーをうまく有効利用することはできないのでしょうか。火力発電所の温排水は生態系に影響を与えるといわれます。せっかくの熱エネルギーを活用しないまま捨ててしまい、さらに苦情まで受けているのです。

貴重なエネルギーを使い道のないまま捨ててしまうのは、いかにももったいない話です。

エネルギーの生産も大切ですが、それと同時に廃エネルギーを出さず、最後まで残さず使う、という方策も大切になることでしょう。

SDGsとベストミックス

地球環境といいますが、地球上で人類が活動できる空間は飛行機の飛ぶ頭上10㎞から、海洋最深深度の10㎞の範囲くらいでしかありません。対して、地球の直径は1万3000㎞です。紙にコンパスで直径13㎝の円を描いてください。これが地球です。すると20㎞の地球環境は0・2ミリになります。鉛筆の線に隠れてしまいます。この環境を汚すのは簡単な話です。しかし、浄化するのは簡単なのでしょうか?

SDGsはエネルギーの持続可能な使用を要求しています。急速に資源枯渇を招く利用や環境問題を引き起こす可能性の高いものは忌避されます。水力発電は大きな河川に巨大なダムをつくります。しかし、ダムの建設は地域の水環境に大きな変化をもたらし、河川の渇水、地下水位の生態系の変化など自然環境に大きな影響を与えます。

石炭、石油などの化石燃料の燃焼は大量の二酸化炭素を発生し、温室効果によって地球温暖化をもたらします。また、化石燃料に含まれる窒素N、硫黄Sなどの燃焼によって発生するNOx（ノックス）、SOx（ソックス）は光化学スモッグや酸性雨の原因になります。

核分裂を利用した原子炉は、今後のエネルギーを担うものと期待されますが、危険な放射能を持った核分裂廃棄物の処理は避けられない問題です。また、万が一事故が起きた時の被害の大きさは、福島の原子炉事故で学んだ通りです。

このような環境問題のないエネルギーを**クリーンエネルギー**と呼びます。太陽、地熱、風力、波力などの自然エネルギーはその典型と見ることができます。また、ゴミの醗酵によってメタンガスを発生させるなどの、バイオマスエネルギーもクリーンなエネルギーと呼ばれます。これらのエネルギーは、あるものはほぼ無尽蔵、あるものは繰り返し使用できることから、再生可能エネルギーとも呼ばれます。人類の活動と生存にエネルギーは不可欠なものですが、今後はクリーンなエネルギーを選択使用することが重要でしょう。

＊　＊　＊

本書を通じていろいろなエネルギーを見てきました。人類の将来を託すに足るエネルギーはどれでしょうか。資源量、使いやすさ、環境問題……考えなければならない問題はたくさんあります。

しかし、たしかにいえることは、この中のどれにしろ、人類のエネルギーのすべてを担うことにはなりえないだろう、ということです。核分裂や核融合を用いた原子力は、その設備の巨大さ、事故が起きた場合の避難などを考えると、都会の近傍に置くことはできません。一方、小型で廃棄物もない太陽電池や小型風力発電は便利ですが、大規模発電には向かないし、発電量が一定しないという欠点もあります。

結局はこれらのいくつか、あるいはすべてを総合したエネルギー供給システムを構築するしかありません。どのようにエネルギーの**ベストミックス**を考えていくか、それがエネルギー問題でいちばん問われることになるでしょう。

２０２１年３月

齋藤勝裕

齋藤勝裕（さいとう・かつひろ）

1945年5月3日生まれ。1974年、東北大学大学院理学研究科博士課程修了。現在は名古屋工業大学名誉教授。理学博士。専門分野は有機化学、物理化学、光化学、超分子化学。主な著書として、「絶対わかる化学シリーズ」全18冊（講談社）、「わかる化学シリーズ」全16冊（東京化学同人）、「わかる×わかった！　化学シリーズ」全14冊（オーム社）、『マンガでわかる有機化学』『毒の科学』『料理の科学』（以上、SBクリエイティブ）、『「発酵」のことが一冊でまるごとわかる』『「食品の科学」が一冊でまるごとわかる』（以上、ベレ出版）、『ぼくらは「化学」のおかげで生きている』（実務教育出版）などがある。

脱炭素時代を生き抜くための「エネルギー」入門

2021年6月10日　初版第1刷発行

著　者　齋藤勝裕
発行者　小山隆之
発行所　株式会社 実務教育出版
〒163-8671　東京都新宿区新宿1-1-12
電話　03-3355-1812（編集）　03-3355-1951（販売）
振替　00160-0-78270

印刷／壮光舎印刷株式会社　　製本／東京美術紙工協業組合

ISBN978-4-7889-0826-0　C0040